D1240906

L'EXIL ET LE ROYAUME

Né en 1913 à Mondovi (Algérie), Albert Camus connaît à Alger, où il passe sa jeunesse, des années que la pauvreté rend difficiles. Il réussit à faire des études universitaires (licence et diplôme de philosophie), fréquente le groupe des écrivains dit « Ecole d'Afrique du Nord », se passionne pour le théâtre, écrit ses premières pièces.

Journaliste depuis 1938 à Alger, puis à Paris, il milite dans la Résistance pendant l'Occupation (Actuelles, éditoriaux publiés en 1950). Rédacteur en chef du journal Combat de 1944 à 1947, collaborateur de l'hebdomadaire l'Express en 1955, il abandonne le journalisme l'année suivante.

Essais, romans et pièces de théâtre alternent chez cet écrivain au tempérament de moraliste. L'ensemble de son œuvre constitue un système cohérent qui va de la constatation de « l'absurde », à la révolte, et construit un humanisme. L'Etranger (1942), Le mythe de Sisyphe (1942), La Peste (Prix des Critiques, 1947), L'Homme révolté (1951), etc...

Prix Nobel en 1957, Albert Camus a trouvé la mort dans un accident de la route en 1960.

Désert et rivages méditerranéens sont le cadre éclatant de la plupart des nouvelles de *L'Exil et le Royaume*. Ocre et gris, le désert étire à l'infini ses sables et ses pierres où cheminent sans trêve des hommes « qui ne possèdent rien mais ne servent personne ».

Dans cet étrange royaume que Janine entrevoit au-delà des palmeraies s'incarnent la grandeur et la liberté. En contraste, sa propre vie, étriquée. De là naît le drame bref de *La Femme adultère*.

Même quand l'angoisse ne paralyse pas les aspirations les plus hautes des êtres, ils succombent souvent — tel *Le Rénégat*, prisonniers de la Ville interdite. Ou bien leurs actes sont mal interprétés, et c'est la tragédie de *L'Hôte* ou des *Muets*. Que peut-on les uns pour les autres? Saisir le fardeau prêt à choir comme le héros de la *Pierre qui pousse*? Quelle ligne de conduite faut-il donc adopter pour rompre l'exil, entrer dans le royaume? La transparente affabulation de *Jonas* donne une réponse dont l'humour masque la gravité.

ŒUVRES D'ALBERT CAMUS

Récits-Nouvelles :

L'ÉTRANGER.   LA CHUTE.
LA PESTE.   L'EXIL ET LE ROYAUME.

Essais :

NOCES.
LE MYTHE DE SISYPHE.
LETTRES A UN AMI ALLEMAND.
ACTUELLES (Chroniques 1944-1948).
ACTUELLES II (Chroniques 1948-1953).
CHRONIQUES ALGÉRIENNES, 1939-1958 (Actuelles III).
L'HOMME RÉVOLTÉ.
L'ÉTÉ.
L'ENVERS ET L'ENDROIT.
DISCOURS DE SUÈDE.
CARNETS I (mai 1935 - février 1942).
CARNETS II (janvier 1942 - mars 1951).

Théâtre :

CALIGULA.   LE MALENTENDU.
L'ÉTAT DE SIÈGE.   LES JUSTES.

Adaptations et Traductions :

LES ESPRITS, de Pierre de Larivey.
LA DÉVOTION A LA CROIX, de Pedro Calderon de la Barca.
REQUIEM POUR UNE NONNE, de William Faulkner.
LES POSSÉDÉS, d'après le roman de Dostoïevski.
LE CHEVALIER D'OLMEDO, de Lope de Vega.

*

THÉÂTRE, RÉCITS, NOUVELLES. Préface de Jean Grenier, textes établis et annotés par Roger Quillot (*Bibliothèque de la Pléiade*)

ESSAIS. Introduction par Roger Quillot. Textes établis et annotés par Roger Quillot et Louis Faucon (*Bibliothèque de la Pléiade*).

Dans Le Livre de Poche :

L'ÉTRANGER.
LA PESTE.
CALIGULA *suivi de* LE MALENTENDU.
NOCES *suivi de* L'ÉTÉ.
LA CHUTE.

ALBERT CAMUS

L'exil et le royaume

GALLIMARD

A FRANCINE

LA FEMME ADULTÈRE

UNE mouche maigre tournait, depuis un moment, dans l'autocar aux glaces pourtant relevées. Insolite, elle allait et venait sans bruit, d'un vol exténué. Janine la perdit de vue, puis la vit atterrir sur la main immobile de son mari. Il faisait froid. La mouche frissonnait à chaque rafale du vent sableux qui crissait contre les vitres. Dans la lumière rare du matin d'hiver, à grand bruit de tôles et d'essieux, le véhicule roulait, tanguait, avançait à peine. Janine regarda son mari. Des épis de cheveux grisonnants plantés bas sur un front serré, le nez large, la bouche irrégulière, Marcel avait l'air d'un faune boudeur. A chaque défoncement de la chaussée, elle le sentait sursauter contre elle. Puis il laissait retomber son torse pesant sur ses jambes écartées, le regard fixe, inerte de nouveau, et absent. Seules, ses grosses mains imberbes, rendues plus courtes encore par la flanelle grise qui dépassait les manches de chemise et couvrait les poignets, semblaient en action. Elles serraient si fortement une petite valise de toile, placée entre ses genoux, qu'elles ne paraissaient pas sentir la course hésitante de la mouche.

Soudain, on entendit distinctement le vent hurler et la brume minérale qui entourait l'autocar s'épaissit encore. Sur les vitres, le sable s'abattait maintenant par poignées comme s'il était lancé par des mains invisibles. La mouche remua une aile frileuse, fléchit sur ses pattes, et s'envola. L'autocar ralentit, et sembla sur le point de stopper. Puis le vent parut se calmer, la brume s'éclaircit un peu et le véhicule reprit de la vitesse. Des trous de lumière s'ouvraient dans le paysage noyé de poussière. Deux ou trois palmiers grêles et blanchis, qui semblaient découpés dans du métal, surgirent dans la vitre pour disparaître l'instant d'après.

« Quel pays! » dit Marcel.

L'autocar était plein d'Arabes qui faisaient mine de dormir, enfouis dans leurs burnous. Quelques-uns avaient ramené leurs pieds sur la banquette et oscillaient plus que les autres dans le mouvement de la voiture. Leur silence, leur impassibilité finissaient par peser à Janine; il lui semblait qu'elle voyageait depuis des jours avec cette escorte muette. Pourtant, le car était parti à l'aube, du terminus de la voie ferrée, et, depuis deux heures, dans le matin froid, il progressait sur un plateau pierreux, désolé, qui, au départ du moins, étendait ses lignes droites jusqu'à des horizons rougeâtres. Mais le

vent s'était levé et, peu à peu, avait avalé l'immense étendue. A partir de ce moment, les passagers
n'avaient plus rien vu; l'un après l'autre, ils
s'étaient tus et ils avaient navigué en silence dans
une sorte de nuit blanche, essuyant parfois leurs
lèvres et leurs yeux irrités par le sable qui s'infil-
trait dans la voiture.

« Janine! » Elle sursauta à l'appel de son mari.
Elle pensa une fois de plus combien ce prénom
était ridicule, grande et forte comme elle était.
Marcel voulait savoir où se trouvait la mallette
d'échantillons. Elle explora du pied l'espace vide
sous la banquette et rencontra un objet dont elle
décida qu'il était la mallette. Elle ne pouvait se
baisser, en effet, sans étouffer un peu. Au collège
pourtant, elle était première en gymnastique, son
souffle était inépuisable. Y avait-il si longtemps de
cela? Vingt-cinq ans. Vingt-cinq ans n'étaient rien
puisqu'il lui semblait que c'était hier qu'elle hésitait entre la vie libre et le mariage, hier encore
qu'elle pensait avec angoisse à ce jour où, peut-
être, elle vieillirait seule. Elle n'était pas seule, et
cet étudiant en droit qui ne voulait jamais la
quitter se trouvait maintenant à ses côtés. Elle avait
fini par l'accepter, bien qu'il fût un peu petit et
qu'elle n'aimât pas beaucoup son rire avide et
bref, ni ses yeux noirs trop saillants. Mais elle
aimait son courage à vivre, qu'il partageait avec les
Français de ce pays. Elle aimait aussi son air
déconfit quand les événements, ou les hommes,
trompaient son attente. Surtout, elle aimait être

aimée, et il l'avait submergée d'assiduités. A lui faire
sentir si souvent qu'elle existait pour lui, il la
faisait exister réellement. Non, elle n'était pas
seule...

L'autocar, à grands coups d'avertisseur, se frayait
un passage à travers des obstacles invisibles. Dans
la voiture, cependant, personne ne bougeait. Janine
sentit soudain qu'on la regardait et se tourna vers
la banquette qui prolongeait la sienne, de l'autre
côté du passage. Celui-là n'était pas un Arabe et
elle s'étonna de ne pas l'avoir remarqué au départ.
Il portait l'uniforme des unités françaises du Sahara
et un képi de toile bise sur sa face tannée de chacal,
longue et pointue. Il l'examinait de ses yeux clairs,
avec une sorte de maussaderie, fixement. Elle rou-
git tout d'un coup et revint vers son mari qui
regardait toujours devant lui, dans la brume et le
vent. Elle s'emmitoufla dans son manteau. Mais
elle revoyait encore le soldat français, long et
mince, si mince, avec sa vareuse ajustée, qu'il
paraissait bâti dans une matière sèche et friable,
un mélange de sable et d'os. C'est à ce moment
qu'elle vit les mains maigres et le visage brûlé des
Arabes qui étaient devant elle, et qu'elle remarqua
qu'ils semblaient au large, malgré leurs amples
vêtements, sur les banquettes où son mari et elle
tenaient à peine. Elle ramena contre elle les pans
de son manteau. Pourtant, elle n'était pas si grosse,
grande et pleine plutôt, charnelle, et encore dési-
rable — elle le sentait bien sous le regard des
hommes — avec son visage un peu enfantin, ses

yeux frais et clairs, contrastant avec ce grand corps qu'elle savait tiède et reposant.

Non, rien ne se passait comme elle l'avait cru. Quand Marcel avait voulu l'emmener avec lui dans sa tournée, elle avait protesté. Il pensait depuis longtemps à ce voyage, depuis la fin de la guerre exactement, au moment où les affaires étaient redevenues normales. Avant la guerre, le petit commerce de tissus qu'il avait repris de ses parents, quand il eut renoncé à ses études de droit, les faisait vivre plutôt bien que mal. Sur la côte, les années de jeunesse peuvent être heureuses. Mais il n'aimait pas beaucoup l'effort physique et, très vite, il avait cessé de la mener sur les plages. La petite voiture ne les sortait de la ville que pour la promenade du dimanche. Le reste du temps, il préférait son magasin d'étoffes multicolores, à l'ombre des arcades de ce quartier mi-indigène, mi-européen. Au-dessus de la boutique, ils vivaient dans trois pièces, ornées de tentures arabes et de meubles Barbès. Ils n'avaient pas eu d'enfants. Les années avaient passé, dans la pénombre qu'ils entretenaient, volets mi-clos. L'été, les plages, les promenades, le ciel même étaient loin. Rien ne semblait intéresser Marcel que ses affaires. Elle avait cru découvrir sa vraie passion, qui était l'argent, et elle n'aimait pas cela, sans trop savoir pourquoi. Après tout, elle en profitait. Il n'était pas avare; généreux, au contraire, surtout avec elle « S'il m'arrivait quelque chose, disait-il, tu serais à l'abri. » Et il faut, en effet, s'abriter du besoin. Mais du reste, de ce qui n'est pas le besoin le plus simple, où s'abriter? C'était là ce que, de loin en loin, elle sentait confusément. En attendant, elle aidait Marcel à tenir ses livres et le remplaçait parfois au magasin. Le plus dur était l'été où la chaleur tuait jusqu'à la douce sensation de l'ennui.

Tout d'un coup, en plein été justement, la guerre, Marcel mobilisé puis réformé, la pénurie des tissus, les affaires stoppées, les rues désertes et chaudes. S'il arrivait quelque chose, désormais, elle ne serait plus à l'abri. Voilà pourquoi, dès le retour des étoffes sur le marché, Marcel avait imaginé de parcourir les villages des hauts plateaux et du Sud pour se passer d'intermédiaires et vendre directement aux marchands arabes. Il avait voulu l'emmener. Elle savait que les communications étaient difficiles, elle respirait mal, elle aurait préféré l'attendre. Mais il était obstiné et elle avait accepté parce qu'il eût fallu trop d'énergie pour refuser. Ils y étaient maintenant et, vraiment, rien ne ressemblait à ce qu'elle avait imaginé. Elle avait craint la chaleur, les essaims de mouches, les hôtels crasseux, pleins d'odeurs anisées. Elle n'avait pas pensé au froid, au vent coupant, à ces plateaux quasi polaires, encombrés de moraines. Elle avait rêvé aussi de palmiers et de sable doux. Elle voyait à présent que le désert n'était pas cela, mais seulement la pierre, la pierre partout, dans le ciel où régnait encore, crissante et froide, la seule poussière de pierre, comme sur le sol où poussaient seulement, entre les pierres, des graminées sèches.

Le car s'arrêta brusquement. Le chauffeur dit à
la cantonade quelques mots dans cette langue
qu'elle avait entendue toute sa vie sans jamais la
comprendre. « Qu'est-ce que c'est? » demanda
Marcel. Le chauffeur, en français, cette fois, dit
que le sable avait dû boucher le carburateur, et
Marcel maudit encore ce pays. Le chauffeur rit de
toutes ses dents et assura que ce n'était rien, qu'il
allait déboucher le carburateur et qu'ensuite on
s'en irait. Il ouvrit la portière, le vent froid s'en-
gouffra dans la voiture, leur criblant aussitôt le
visage de mille grains de sable. Tous les Arabes
plongèrent le nez dans leurs burnous et se ramas-
sèrent sur eux-mêmes. « Ferme la porte », hurla
Marcel. Le chauffeur riait en revenant vers la
portière. Posément, il prit quelques outils sous le
tableau de bord, puis, minuscule dans la brume,
disparut à nouveau vers l'avant, sans fermer la
porte. Marcel soupirait. « Tu peux être sûre qu'il
n'a jamais vu un moteur de sa vie. — Laisse! »
dit Janine. Soudain, elle sursauta. Sur le remblai,
tout près du car, des formes drapées se tenaient
immobiles. Sous le capuchon du burnous, et
derrière un rempart de voiles, on ne voyait que
leurs yeux. Muets, venus on ne savait d'où, ils
regardaient les voyageurs. « Des bergers », dit
Marcel.

A l'intérieur de la voiture, le silence était complet. Tous les passagers, tête baissée, semblaient
écouter la voix du vent, lâché en liberté sur ces plateaux interminables. Janine fut frappée, soudain,

par l'absence presque totale de bagages. Au terminus de la voie ferrée, le chauffeur avait hissé leur malle, et quelques ballots, sur le toit. A l'intérieur du car, dans les filets, on voyait seulement des bâtons noueux et des couffins plats. Tous ces gens du Sud, apparemment, voyageaient les mains vides.

Mais le chauffeur revenait, toujours alerte. Seuls, ses yeux riaient, au-dessus des voiles dont il avait, lui aussi, masqué son visage. Il annonça qu'on s'en allait. Il ferma la portière, le vent se tut et l'on entendit mieux la pluie de sable sur les vitres. Le moteur toussa, puis expira. Longuement sollicité par le démarreur, il tourna enfin et le chauffeur le fit hurler à coups d'accélérateur. Dans un grand hoquet, l'autocar repartit. De la masse haillonneuse des bergers, toujours immobiles, une main s'éleva, puis s'évanouit dans la brume, derrière eux. Presque aussitôt, le véhicule commença de sauter sur la route devenue plus mauvaise. Secoués, les Arabes oscillaient sans cesse. Janine sentait cependant le sommeil la gagner quand surgit devant elle une petite boîte jaune, remplie de cachous. Le soldat-chacal lui souriait. Elle hésita, se servit, et remercia. Le chacal empocha la boîte et avala d'un coup son sourire. A présent, il fixait la route, droit devant lui. Janine se tourna vers Marcel et ne vit que sa nuque solide. Il regardait à travers les vitres la brume plus dense qui montait des remblais friables.

Il y avait des heures qu'ils roulaient et la fatigue

avait éteint toute vie dans la voiture lorsque des
cris retentirent au-dehors. Des enfants en burnous,
tournant sur eux-mêmes comme des toupies, sau-
tant, frappant des mains, couraient autour de
l'autocar. Ce dernier roulait maintenant dans une
longue rue flanquée de maisons basses; on entrait
dans l'oasis. Le vent soufflait toujours, mais les
murs arrêtaient les particules de sable qui n'obscur-
cissaient plus la lumière. Le ciel, cependant, restait
couvert. Au milieu des cris, dans un grand vacarme
de freins, l'autocar s'arrêta devant les arcades de
pisé d'un hôtel aux vitres sales. Janine descendit et,
dans la rue, se sentit vaciller. Elle apercevait, au-
dessus des maisons, un minaret jaune et gracile.
A sa gauche, se découpaient déjà les premiers palmiers de l'oasis et elle aurait voulu aller vers eux.
Mais bien qu'il fût près de midi, le froid était vif;
le vent la fit frissonner. Elle se retourna vers Marcel,
et vit d'abord le soldat qui avançait à sa rencontre.
Elle attendait son sourire ou son salut. Il la dé-
passa sans la regarder, et disparut. Marcel, lui,
s'occupait de faire descendre la malle d'étoffes, une
cantine noire, perchée sur le toit de l'autocar. Ce
ne serait pas facile. Le chauffeur était seul à
s'occuper des bagages et il s'arrêtait déjà, dressé
sur le toit, pour pérorer devant le cercle de burnous rassemblés autour du car. Janine, entourée de
visages qui semblaient taillés dans l'os et le cuir,
assiégée de cris gutturaux, sentit soudain sa
fatigue. « Je monte », dit-elle à Marcel qui inter-
pellait avec impatience le chauffeur.

Elle entra dans l'hôtel. Le patron, un Français maigre et taciturne, vint au-devant d'elle. Il la conduisit au premier étage, sur une galerie qui dominait la rue, dans une chambre où il semblait n'y avoir qu'un lit de fer, une chaise peinte au ripolin blanc, une penderie sans rideaux et, derrière un paravent de roseaux, une toilette dont le lavabo était couvert d'une fine poussière de sable. Quand le patron eut fermé la porte, Janine sentit le froid qui venait des murs nus et blanchis à la chaux. Elle ne savait où poser son sac, où se poser elle-même. Il fallait se coucher ou rester debout, et frissonner dans les deux cas. Elle restait debout, son sac à la main, fixant une sorte de meurtrière ouverte sur le ciel, près du plafond. Elle attendait, mais elle ne savait quoi. Elle sentait seulement sa solitude, et le froid qui la pénétrait, et un poids plus lourd à l'endroit du cœur. Elle rêvait en vérité, presque sourde aux bruits qui montaient de la rue avec des éclats de la voix de Marcel, plus consciente au contraire de cette rumeur de fleuve qui venait de la meurtrière et que le vent faisait naître dans les palmiers, si proches maintenant, lui semblait-il. Puis le vent parut redoubler, le doux bruit d'eaux devint sifflement de vagues. Elle imaginait, derrière les murs, une mer de palmiers droits et flexibles, moutonnant dans la tempête. Rien ne ressemblait à ce qu'elle avait attendu, mais ces vagues invisibles rafraîchissaient ses yeux fatigués. Elle se tenait debout, pesante, les bras pendants, un peu voûtée, le froid montait le long de ses jambes

lourdes. Elle rêvait aux palmiers droits et flexibles,
et à la jeune fille qu'elle avait été.

Après leur toilette, ils descendirent dans la salle
à manger. Sur les murs nus, on avait peint des
chameaux et des palmiers, noyés dans une confiture
rose et violette. Les fenêtres à arcade laissaient
entrer une lumière parcimonieuse. Marcel se renseignait sur les marchands auprès du patron de
l'hôtel. Puis un vieil Arabe, qui portait une décoration militaire sur sa vareuse, les servit. Marcel
était préoccupé et déchirait son pain. Il empêcha
sa femme de boire de l'eau. « Elle n'est pas bouillie.
Prends du vin. » Elle n'aimait pas cela, le vin
l'alourdissait. Et puis, il y avait du porc au menu.
« Le Coran l'interdit. Mais le Coran ne savait pas
que le porc bien cuit ne donne pas de maladies.
Nous autres, nous savons faire la cuisine. A quoi
penses-tu? » Janine ne pensait à rien, ou peut-être
à cette victoire des cuisiniers sur les prophètes. Mais
elle devait se dépêcher. Ils repartaient le lendemain
matin, plus au sud encore : il fallait voir dans
l'après-midi tous les marchands importants. Marcel
pressa le vieil Arabe d'apporter le café. Celui-ci
approuva de la tête, sans sourire, et sortit à petits
pas. « Doucement le matin, pas trop vite le soir »,
dit Marcel en riant. Le café finit pourtant par
arriver. Ils prirent à peine le temps de l'avaler et
sortirent dans la rue poussiéreuse et froide. Marcel
appela un jeune Arabe pour l'aider à porter la
malle, mais discuta par principe la rétribution. Son

opinion, qu'il fit savoir à Janine une fois de plus,
tenait en effet dans ce principe obscur qu'ils demandaient toujours le double pour qu'on leur
donne le quart. Janine, mal à l'aise, suivait les
deux porteurs. Elle avait mis un vêtement de
laine sous son gros manteau, elle aurait voulu tenir
moins de place. Le porc, quoique bien cuit, et le
peu de vin qu'elle avait bu, lui donnaient aussi de
l'embarras.

Ils longeaient un petit jardin public planté
d'arbres poudreux. Des Arabes les croisaient qui se
rangeaient sans paraître les voir, ramenant devant
eux les pans de leurs burnous. Elle leur trouvait,
même lorsqu'ils portaient des loques, un air de
fierté que n'avaient pas les Arabes de sa ville.
Janine suivait la malle qui, à travers la foule, lui
ouvrait un chemin. Ils passèrent la porte d'un rempart de terre ocre, parvinrent sur une petite place
plantée des mêmes arbres minéraux et bordée au
fond, sur sa plus grande largeur, par des arcades
et des boutiques. Mais ils s'arrêtèrent sur la place
même, devant une petite construction en forme
d'obus, peinte à la chaux bleue. A l'intérieur, dans
la pièce unique, éclairée seulement par la porte
d'entrée, se tenait, derrière une planche de bois
luisant, un vieil Arabe aux moustaches blanches. Il
était en train de servir du thé, élevant et abaissant
la théière au-dessus de trois petits verres multicolores. Avant qu'ils pussent rien distinguer d'autre
dans la pénombre du magasin, l'odeur fraîche du
thé à la menthe accueillit Marcel et Janine sur

le seuil. A peine franchie l'entrée, et ses guirlandes
encombrantes de théières en étain, de tasses et de
plateaux mêlés à des tourniquets de cartes postales,
Marcel se trouva contre le comptoir. Janine resta
dans l'entrée. Elle s'écarta un peu pour ne pas
intercepter la lumière. A ce moment, elle aperçut
derrière le vieux marchand, dans la pénombre,
deux Arabes qui les regardaient en souriant, assis
sur les sacs gonflés dont le fond de la boutique
était entièrement garni. Des tapis rouges et noirs,
des foulards brodés pendaient le long des murs,
le sol était encombré de sacs et de petites caisses
emplies de graines aromatiques. Sur le comptoir,
autour d'une balance aux plateaux de cuivre étincelants et d'un vieux mètre aux gravures effacées,
s'alignaient des pains de sucre dont l'un, démailloté
de ses langes de gros papier bleu, était entamé au
sommet. L'odeur de laine et d'épices qui flottait
dans la pièce apparut derrière le parfum du thé
quand le vieux marchand posa la théière sur le
comptoir et dit bonjour.

Marcel parlait précipitamment, de cette voix
basse qu'il prenait pour parler affaires. Puis il
ouvrait la malle, montrait les étoffes et les foulards,
poussait la balance et le mètre pour étaler sa mar-
chandise devant le vieux marchand. Il s'énervait,
haussait le ton, riait de façon désordonnée, il avait
l'air d'une femme qui veut plaire et qui n'est pas
sûre d'elle. Maintenant, de ses mains largement
ouvertes, il mimait la vente et l'achat. Le vieux
secoua la tête, passa le plateau de thé aux deux

Arabes derrière lui et dit seulement quelques mots qui semblèrent décourager Marcel. Celui-ci reprit ses étoffes, les empila dans la malle, puis essuya sur son front une sueur improbable. Il appela le petit porteur et ils repartirent vers les arcades. Dans la première boutique, bien que le marchand eût d'abord affecté le même air olympien, ils furent un peu plus heureux. « Ils se prennent pour le Bon Dieu, dit Marcel, mais ils vendent aussi! La vie est dure pour tous. »

Janine suivait sans répondre. Le vent avait presque cessé. Le ciel se découvrait par endroits. Une lumière froide, brillante, descendait des puits bleus qui se creusaient dans l'épaisseur des nuages. Ils avaient maintenant quitté la place. Ils marchaient dans de petites rues, longeaient des murs de terre au-dessus desquels pendaient les roses pourries de décembre ou, de loin en loin, une grenade, sèche et véreuse. Un parfum de poussière et de café, la fumée d'un feu d'écorces, l'odeur de la pierre, du mouton, flottaient dans ce quartier. Les boutiques, creusées dans des pans de murs, étaient éloignées les unes des autres; Janine sentait ses jambes s'alourdir. Mais son mari se rassérénait peu à peu, il commençait à vendre, et devenait aussi plus conciliant; il appelait Janine « petite », le voyage ne serait pas inutile. « Bien sûr, disait Janine, il vaut mieux s'entendre directement avec eux. »

Ils revinrent par une autre rue, vers le centre. L'après-midi était avancé, le ciel maintenant à peu

près découvert. Ils s'arrêtèrent sur la place. Marcel
se frottait les mains, il contemplait d'un air tendre
la malle, devant eux. « Regarde », dit Janine. De
l'autre extrémité de la place venait un grand
Arabe, maigre, vigoureux, couvert d'un burnous
bleu ciel, chaussé de souples bottes jaunes, les mains
gantées, et qui portait haut un visage aquilin et
bronzé. Seul le chèche qu'il portait en turban permettait de le distinguer de ces officiers français
d'Affaires indigènes que Janine avait parfois
admirés. Il avançait régulièrement dans leur direction, mais semblait regarder au-delà de leur groupe,
en dégantant avec lenteur l'une de ses mains.
« Eh bien, dit Marcel en haussant les épaules, en
voilà un qui se croit général. » Oui, ils avaient tous
ici cet air d'orgueil, mais celui-là, vraiment, exagé-
rait. Alors que l'espace vide de la place les entourait, il avançait droit sur la malle, sans la voir,
sans les voir. Puis la distance qui les séparait dimi-
nua rapidement et l'Arabe arrivait sur eux, lorsque
Marcel saisit, tout d'un coup, la poignée de la
cantine, et la tira en arrière. L'autre passa sans
paraître rien remarquer, et se dirigea du même pas
vers les remparts. Janine regarda son mari, il avait
son air déconfit. « Ils se croient tout permis, maintenant », dit-il. Janine ne répondit rien. Elle dé-
testait la stupide arrogance de cet Arabe et se
sentait tout d'un coup malheureuse. Elle voulait
partir, elle pensait à son petit appartement. L'idée
de rentrer à l'hôtel, dans cette chambre glacée, la
décourageait. Elle pensa soudain que le patron

lui avait conseillé de monter sur la terrasse du
fort d'où l'on voyait le désert. Elle le dit à
Marcel et qu'on pouvait laisser la malle à l'hôtel.
Mais il était fatigué, il voulait dormir un peu
avant le dîner. « Je t'en prie », dit Janine. Il
la regarda, soudain attentif. « Bien sûr, mon
chéri », dit-il.

Elle l'attendait devant l'hôtel, dans la rue. La
foule vêtue de blanc devenait de plus en plus
nombreuse. On n'y rencontrait pas une seule femme
et il semblait à Janine qu'elle n'avait jamais vu
autant d'hommes. Pourtant, aucun ne la regardait.
Quelques-uns, sans paraître la voir, tournaient lentement vers elle cette face maigre et tannée qui, à
ses yeux, les faisait tous ressemblants, le visage du
soldat français dans le car, celui de l'Arabe aux
gants, un visage à la fois rusé et fier. Ils tournaient ce visage vers l'étrangère, ils ne la voyaient
pas et puis, légers et silencieux, ils passaient autour
d'elle dont les chevilles gonflaient. Et son malaise,
son besoin de départ augmentaient. « Pourquoi
suis-je venue? » Mais, déjà, Marcel redescendait.

Lorsqu'ils grimpèrent l'escalier du fort, il était
cinq heures de l'après-midi. Le vent avait complètement cessé. Le ciel, tout entier découvert, était
maintenant d'un bleu de pervenche. Le froid, devenu plus sec, piquait leurs joues. Au milieu de
l'escalier, un vieil Arabe, étendu contre le mur,
leur demanda s'ils voulaient être guidés, mais sans
bouger, comme s'il était sûr d'avance de leur refus.

L'escalier était long et raide, malgré plusieurs
paliers de terre battue. A mesure qu'ils montaient,
l'espace s'élargissait et ils s'élevaient dans une
lumière de plus en plus vaste, froide et sèche, où
chaque bruit de l'oasis leur parvenait avec une
pureté distincte. L'air illuminé semblait vibrer
autour d'eux, d'une vibration de plus en plus
longue à mesure qu'ils progressaient, comme si leur
passage faisait naître sur le cristal de la lumière une
onde sonore qui allait s'élargissant. Et au moment
où, parvenus sur la terrasse, leur regard se perdit
d'un coup au-delà de la palmeraie, dans l'horizon
immense, il sembla à Janine que le ciel entier
retentissait d'une seule note éclatante et brève dont
les échos peu à peu remplirent l'espace au-dessus
d'elle, puis se turent subitement pour la laisser
silencieuse devant l'étendue sans limites.

De l'est à l'ouest, en effet, son regard se dépla-
çait lentement, sans rencontrer un seul obstacle,
tout le long d'une courbe parfaite. Au-dessous
d'elle, les terrasses bleues et blanches de la ville
arabe se chevauchaient, ensanglantées par les taches
rouge sombre des piments qui séchaient au soleil.
On n'y voyait personne, mais des cours intérieures
montaient, avec la fumée odorante d'un café qui
grillait, des voix rieuses ou des piétinements incompréhensibles. Un peu plus loin, la palmeraie,
divisée en carrés inégaux par des murs d'argile,
bruissait à son sommet sous l'effet d'un vent qu'on
ne sentait plus sur la terrasse. Plus loin encore, et
jusqu'à l'horizon, commençait, ocre et gris, le

royaume des pierres, où nulle vie n'apparaissait. A
quelque distance de l'oasis seulement, près de
l'oued qui, à l'occident, longeait la palmeraie, on
apercevait de larges tentes noires. Tout autour, un
troupeau de dromadaires immobiles, minuscules à
cette distance, formaient sur le sol gris les signes
sombres d'une étrange écriture dont il fallait déchiffrer le sens. Au-dessus du désert, le silence était
vaste comme l'espace.

Janine, appuyée de tout son corps au parapet,
restait sans voix, incapable de s'arracher au vide
qui s'ouvrait devant elle. A ses côtés, Marcel s'agitait. Il avait froid, il voulait descendre. Qu'y avait-il
donc à voir ici? Mais elle ne pouvait détacher ses
regards de l'horizon. Là-bas, plus au sud encore,
à cet endroit où le ciel et la terre se rejoignaient
dans une ligne pure, là-bas, lui semblait-il soudain,
quelque chose l'attendait qu'elle avait ignoré jusqu'à ce jour et qui pourtant n'avait cessé de lui
manquer. Dans l'après-midi qui avançait, la lumière
se détendait doucement; de cristalline, elle devenait
liquide. En même temps, au cœur d'une femme
que le hasard seul amenait là, un nœud que les
années, l'habitude et l'ennui avait serré, se dé-
nouait lentement. Elle regardait le campement des
nomades. Elle n'avait même pas vu les hommes qui
vivaient là, rien ne bougeait entre les tentes noires
et pourtant, elle ne pouvait penser qu'à eux, dont
elle avait à peine connu l'existence jusqu'à ce jour.
Sans maisons, coupés du monde, ils étaient une
poignée à errer sur le vaste territoire qu'elle dé-

couvrait du regard, et qui n'était cependant qu'une partie dérisoire d'un espace encore plus grand, dont la fuite vertigineuse ne s'arrêtait qu'à des milliers de kilomètres plus au sud, là où le premier fleuve féconde enfin la forêt. Depuis toujours, sur la terre sèche, raclée jusqu'à l'os, de ce pays démesuré, quelques hommes cheminaient sans trêve, qui ne possédaient rien mais ne servaient personne, seigneurs misérables et libres d'un étrange royaume. Janine ne savait pas pourquoi cette idée l'emplissait d'une tristesse si douce et si vaste qu'elle lui fermait les yeux. Elle savait seulement que ce royaume, de tout temps, lui avait été promis et que jamais, pourtant, il ne serait le sien, plus jamais, sinon à ce fugitif instant, peut-être, où elle rouvrit les yeux sur le ciel soudain immobile, et sur ses flots de lumière figée, pendant que les voix qui montaient de la ville arabe se taisaient brusquement. Il lui sembla que le cours du monde venait alors de s'arrêter et que personne, à partir de cet instant, ne vieillirait plus ni ne mourrait. En tous lieux, désormais, la vie était suspendue, sauf dans son cœur où, au même moment, quelqu'un pleurait de peine et d'émerveillement.

Mais la lumière se mit en mouvement, le soleil, net et sans chaleur, déclina vers l'ouest qui rosit un peu, tandis qu'une vague grise se formait à l'est, prête à déferler lentement sur l'immense étendue. Un premier chien hurla, et son cri lointain monta dans l'air, devenu encore plus froid. Janine s'aperçut alors qu'elle claquait des dents. « On crève, dit

Marcel, tu es stupide. Rentrons. » Mais il lui prit
gauchement la main. Docile maintenant, elle se détourna du parapet et le suivit. Le vieil Arabe de
l'escalier, immobile, les regarda descendre vers la
ville. Elle marchait sans voir personne, courbée
sous une immense et brusque fatigue, traînant son
corps dont le poids lui paraissait maintenant insupportable. Son exaltation l'avait quittée. A présent,
elle se sentait trop grande, trop épaisse, trop
blanche aussi pour ce monde où elle venait d'entrer. Un enfant, la jeune fille, l'homme sec, le
chacal furtif étaient les seules créatures qui pouvaient fouler silencieusement cette terre. Qu'y
ferait-elle désormais, sinon s'y traîner jusqu'au sommeil, jusqu'à la mort?

Elle se traîna, en effet, jusqu'au restaurant, devant
un mari soudain taciturne, ou qui disait sa fatigue,
pendant qu'elle-même luttait faiblement contre un
rhume dont elle sentait monter la fièvre. Elle se
traîna encore jusqu'à son lit, où Marcel vint la
rejoindre, et éteignit aussitôt sans rien lui demander. La chambre était glacée. Janine sentait le
froid la gagner en même temps que s'accélérait la
fièvre. Elle respirait mal, son sang battait sans la
réchauffer; une sorte de peur grandissait en elle.
Elle se retournait, le vieux lit de fer craquait sous
son poids. Non, elle ne voulait pas être malade.
Son mari dormait déjà, elle aussi devait dormir,
il le fallait. Les bruits étouffés de la ville parvenaient jusqu'à elle par la meurtrière. Les vieux
phonographes des cafés maures nasillaient des airs

qu'elle reconnaissait vaguement, et qui lui arrivaient, portés par une rumeur de foule lente. Il
fallait dormir. Mais elle comptait des tentes noires;
derrière ses paupières paissaient des chameaux
immobiles; d'immenses solitudes tournoyaient en
elle. Oui, pourquoi était-elle venue? Elle s'endormit
sur cette question.

Elle se réveilla un peu plus tard. Le silence autour d'elle était total. Mais, aux limites de la ville,
des chiens enroués hurlaient dans la nuit muette.
Janine frissonna. Elle se retourna encore sur elle-
même, sentit contre la sienne l'épaule dure de son
mari et, tout d'un coup, à demi endormie, se blottit
contre lui. Elle dérivait sur le sommeil sans s'y enfoncer, elle s'accrochait à cette épaule avec une
avidité inconsciente, comme à son port le plus
sûr. Elle parlait, mais sa bouche n'émettait aucun
son. Elle parlait, mais c'est à peine si elle s'entendait elle-même. Elle ne sentait que la chaleur de
Marcel. Depuis plus de vingt ans, chaque nuit,
ainsi, dans sa chaleur, eux deux toujours, même
malades, même en voyage, comme à présent...
Qu'aurait-elle fait d'ailleurs, seule à la maison?
Pas d'enfant! N'était-ce pas cela qui lui manquait?
Elle ne savait pas. Elle suivait Marcel, voilà tout,
contente de sentir que quelqu'un avait besoin
d'elle. Il ne lui donnait pas d'autre joie que de
se savoir nécessaire. Sans doute ne l'aimait-il pas.
L'amour, même haineux, n'a pas ce visage ren-
frogné. Mais quel est son visage? Ils s'aimaient dans
la nuit, sans se voir, à tâtons. Y a-t-il un autre

amour que celui des ténèbres, un amour qui crie-
rait en plein jour? Elle ne savait pas, mais elle
savait que Marcel avait besoin d'elle et qu'elle avait
besoin de ce besoin, qu'elle en vivait la nuit et le
jour, la nuit surtout, chaque nuit, où il ne voulait
pas être seul, ni vieillir, ni mourir, avec cet air
buté qu'il prenait et qu'elle reconnaissait parfois
sur d'autres visages d'hommes, le seul air commun
de ces fous qui se camouflent sous des airs de
raison, jusqu'à ce que le délire les prenne et les
jette désespérément vers un corps de femme pour
y enfouir, sans désir, ce que la solitude et la nuit
leur montrent d'effrayant.

Marcel remua un peu comme pour s'éloigner
d'elle. Non, il ne l'aimait pas, il avait peur de ce
qui n'était pas elle, simplement, et elle et lui depuis longtemps auraient dû se séparer, et dormir
seuls jusqu'à la fin. Mais qui peut dormir toujours
seul? Quelques hommes le font, que la vocation
ou le malheur ont retranchés des autres et qui
couchent alors tous les soirs dans le même lit que
la mort. Marcel, lui, ne le pourrait jamais, lui surtout, enfant faible et désarmé, que la douleur
effarait toujours, son enfant, justement, qui avait
besoin d'elle et qui, au même moment, fit entendre
une sorte de gémissement. Elle se serra un peu
plus contre lui, posa la main sur sa poitrine. Et,
en elle-même, elle l'appela du nom d'amour qu'elle
lui donnait autrefois et que, de loin en loin encore, ils employaient entre eux, mais sans plus
penser à ce qu'ils disaient.

Elle l'appela de tout son cœur. Elle aussi, après tout, avait besoin de lui, de sa force, de ses petites manies, elle aussi avait peur de mourir. « Si je surmontais cette peur, je serais heureuse... » Aussitôt, une angoisse sans nom l'envahit. Elle se détacha de Marcel. Non, elle ne surmontait rien, elle n'était pas heureuse, elle allait mourir, en vérité, sans avoir été délivrée. Son cœur lui faisait mal, elle étouffait sous un poids immense dont elle découvrait soudain qu'elle le traînait depuis vingt ans, et sous lequel elle se débattait maintenant de toutes ses forces. Elle voulait être délivrée, même si Marcel, même si les autres ne l'étaient jamais. Réveillée, elle se dressa dans son lit et tendit l'oreille à un appel qui lui sembla tout proche. Mais, des extrémités de la nuit, les voix exténuées et infatigable des chiens de l'oasis lui parvinrent seules. Un faible vent s'était levé dont elle entendait couler les eaux légères dans la palmeraie. Il venait du sud, là où le désert et la nuit se mêlaient maintenant sous le ciel à nouveau fixe, là où la vie s'arrêtait, où plus personne ne vieillissait ni ne mourait. Puis les eaux du vent tarirent et elle ne fut même plus sûre d'avoir rien entendu, sinon un appel muet qu'après tout elle pouvait à volonté faire taire ou percevoir, mais dont plus jamais elle ne connaîtrait le sens, si elle n'y répondait à l'instant. A l'instant, oui, cela du moins était sûr !

Elle se leva doucement et resta immobile, près du lit, attentive à la respiration de son mari. Mar-

cel dormait. L'instant d'après, la chaleur du lit
la quittait, le froid la saisit. Elle s'habilla lentement, cherchant ses vêtements à tâtons dans la
faible lumière qui, à travers les persiennes en
façade, venait des lampes de la rue. Les souliers
à la main, elle gagna la porte. Elle attendit encore
un moment, dans l'obscurité, puis ouvrit doucement. Le loquet grinça, elle s'immobilisa. Son
cœur battait follement. Elle tendit l'oreille et, ras-
surée par le silence, tourna encore un peu la main.
La rotation du loquet lui parut interminable. Elle
ouvrit enfin, se glissa dehors, et referma la porte
avec les mêmes précautions. Puis, la joue collée
contre le bois, elle attendit. Au bout d'un instant,
elle perçut, lointaine, la respiration de Marcel.
Elle se retourna, reçut contre le visage l'air glacé
de la nuit et courut le long de la galerie. La porte
de l'hôtel était fermée. Pendant qu'elle manœuvrait
le verrou, le veilleur de nuit parut dans le haut de
l'escalier, le visage brouillé, et lui parla en arabe.
« Je reviens », dit Janine, et elle se jeta dans la
nuit.

Des guirlandes d'étoiles descendaient du ciel noir
au-dessus des palmiers et des maisons. Elle courait
le long de la courte avenue, maintenant déserte,
qui menait au fort. Le froid, qui n'avait plus à
lutter contre le soleil, avait envahi la nuit; l'air
glacé lui brûlait les poumons. Mais elle courait, à
demi aveugle, dans l'obscurité. Au sommet de l'avenue, pourtant, des lumières apparurent, puis descendirent vers elle en zigzaguant. Elle s'arrêta, perçut

un bruit d'élytres et, derrière les lumières qui gros-
sissaient, vit enfin d'énormes burnous sous lesquels
étincelaient des roues fragiles de bicyclettes. Les
burnous la frôlèrent; trois feux rouges surgirent
dans le noir derrière elle, pour disparaître aussitôt.
Elle reprit sa course vers le fort. Au milieu de
l'escalier, la brûlure de l'air dans ses poumons
devint si coupante qu'elle voulut s'arrêter. Un dernier élan la jeta malgré elle sur la terrasse, contre
le parapet qui lui pressait maintenant le ventre.
Elle haletait et tout se brouillait devant ses yeux.
La course ne l'avait pas réchauffée, elle tremblait
encore de tous ses membres. Mais l'air froid qu'elle
avalait par saccades coula bientôt régulièrement
en elle, une chaleur timide commença de naître
au milieu des frissons. Ses yeux s'ouvrirent enfin sur
les espaces de la nuit.

Aucun souffle, aucun bruit, sinon, parfois, le
crépitement étouffé des pierres que le froid rédui-
sait en sable, ne venait troubler la solitude et le
silence qui entouraient Janine. Au bout d'un instant, pourtant, il lui sembla qu'une sorte de gira-
tion pesante entraînait le ciel au-dessus d'elle. Dans
les épaisseurs de la nuit sèche et froide, des milliers
d'étoiles se formaient sans trêve et leurs glaçons
étincelants, aussitôt détachés, commençaient de glisser insensiblement vers l'horizon. Janine ne pouvait
s'arracher à la contemplation de ces feux à la
dérive. Elle tournait avec eux et le même chemi-
nement immobile la réunissait peu à peu à son
être le plus profond, où le froid et le désir main-

tenant se combattaient. Devant elle, les étoiles
tombaient, une à une, puis s'éteignaient parmi les
pierres du désert, et à chaque fois Janine s'ouvrait
un peu plus à la nuit. Elle respirait, elle oubliait
le froid, le poids des êtres, la vie démente ou figée,
la longue angoisse de vivre et de mourir. Après
tant d'années où, fuyant devant la peur, elle avait
couru follement, sans but, elle s'arrêtait enfin. En
même temps, il lui semblait retrouver ses racines,
la sève montait à nouveau dans son corps qui ne
tremblait plus. Pressée de tout son ventre contre
le parapet, tendue vers le ciel en mouvement, elle
attendait seulement que son cœur encore bouleversé
s'apaisât à son tour et que le silence se fît en elle.
Les dernières étoiles des constellations laissèrent
tomber leurs grappes un peu plus bas sur l'horizon
du désert, et s'immobilisèrent. Alors, avec une
douceur insupportable, l'eau de la nuit commença
d'emplir Janine, submergea le froid, monta peu à
peu du centre obscur de son être et déborda en
flots ininterrompus jusqu'à sa bouche pleine de
gémissements. L'instant d'après, le ciel entier
s'étendait au-dessus d'elle, renversée sur la terre
froide.

Quand Janine rentra, avec les mêmes précautions, Marcel n'était pas réveillé. Mais il grogna
lorsqu'elle se coucha et, quelques secondes après,
se dressa brusquement. Il parla et elle ne comprit
pas ce qu'il disait. Il se leva, donna de la lumière
qui la gifla en plein visage. Il marcha en tanguant
vers le lavabo et but longuement à la bouteille

d'eau minérale qui s'y trouvait. Il allait se glisser
sous les draps quand, un genou sur le lit, il la
regarda, sans comprendre. Elle pleurait, de toutes
ses larmes, sans pouvoir se retenir. « Ce n'est rien,
mon chéri, disait-elle, ce n'est rien. »

LE RENÉGAT

ou

UN ESPRIT CONFUS

« QUELLE bouillie, quelle bouillie! Il faut mettre de l'ordre dans ma tête. Depuis qu'ils m'ont coupé la langue, une autre langue, je ne sais pas, marche sans arrêt dans mon crâne, quelque chose parle, ou quelqu'un qui se tait soudain et puis tout recommence ô j'entends trop de choses que je ne dis pourtant pas, quelle bouillie, et si j'ouvre la bouche, c'est comme un bruit de cailloux remués. De l'ordre, un ordre, dit la langue, et elle parle d'autre chose en même temps, oui j'ai toujours désiré l'ordre. Du moins, une chose est sûre, j'attends le missionnaire qui doit venir me remplacer. Je suis là sur la piste, à une heure de Taghâsa, caché dans un éboulis de rochers, assis sur le vieux fusil. Le jour se lève sur le désert, il fait encore très froid, tout à l'heure il fera trop chaud, cette terre rend fou et moi, depuis tant d'années que je n'en sais plus le compte... Non, encore un effort!

Le missionnaire doit arriver ce matin, ou ce soir. J'ai entendu dire qu'il viendrait avec un guide, il se peut qu'ils n'aient qu'un seul chameau pour eux deux. J'attendrai, j'attends, le froid, le froid seul me fait trembler. Patiente encore, sale esclave!

Il y a si longtemps que je patiente. Quand j'étais chez moi, dans ce haut plateau du Massif Central, mon père grossier, ma mère brute, le vin, la soupe au lard tous les jours, le vin surtout, aigre et froid, et le long hiver, la burle glacée, les congères, les fougères dégoûtantes, oh! je voulais partir, les quitter d'un seul coup et commencer enfin à vivre, dans le soleil, avec de l'eau claire. J'ai cru au curé, il me parlait du séminaire, il s'occupait tous les jours de moi, il avait le temps dans ce pays protestant où il rasait les murs quand il traversait le village. Il me parlait d'un avenir et du soleil, le catholicisme c'est le soleil, disait-il, et il me faisait lire, il a fait rentrer le latin dans ma tête dure : « Intelligent ce petit, mais un mulet », si dur d'ailleurs mon crâne que de ma vie entière, malgré toutes les chutes, il n'a jamais saigné : « Tête de vache », disait mon père ce porc. Au séminaire, ils étaient tout fiers, une recrue du pays protestant c'était une victoire, ils m'ont vu arriver comme le soleil d'Austerlitz. Pâlichon le soleil, il est vrai, à cause de l'alcool, ils ont bu le vin aigre et leurs enfants ont des dents cariées, râ râ tuer son père, voilà ce qu'il faudrait, mais pas de danger, au fait, qu'il se lance dans la mission puisqu'il est mort depuis longtemps, le vin acide a fini par lui trouer

l'estomac, alors il ne reste qu'à tuer le missionnaire.

J'ai un compte à régler avec lui et avec ses
maîtres, avec mes maîtres qui m'ont trompé, avec
la sale Europe, tout le monde m'a trompé. La
mission, ils n'avaient que ce mot à la bouche, aller
aux sauvages et leur dire : « Voici mon Seigneur,
regardez-le, il ne frappe jamais ni ne tue, il commande d'une voix douce, il tend l'autre joue, c'est
le plus grand des seigneurs, choisissez-le, voyez
comme il m'a rendu meilleur, offensez-moi et vous
en aurez la preuve. » Oui, j'ai cru râ râ et je me
sentais meilleur, j'avais grossi, j'étais presque beau,
je voulais des offenses. Quand nous marchions en
rangs serrés et noirs, l'été, sous le soleil de Gre-
noble, et que nous croisions des filles en robes
légères, je ne détournais pas, moi, les yeux, je les
méprisais, j'attendais qu'elles m'offensent et elles
riaient parfois. Je pensais alors : « Qu'elles me
frappent et me crachent au visage », mais leur
rire, vraiment, c'était tout comme, hérissé de dents
et de pointes qui me déchiraient, l'offense et la
souffrance étaient douces! Mon directeur ne comprenait pas quand je m'accablais : « Mais non, il
y a du bon en vous! » Du bon! il y avait en moi du
vin aigre, voilà tout, et c'était tant mieux, comment
devenir meilleur si l'on n'est pas mauvais, je l'avais
bien compris dans tout ce qu'ils m'enseignaient. Je
n'avait même compris que cela, une seule idée
et mulet intelligent j'allais jusqu'au bout, j'allais
au-devant des pénitences, je rognais sur l'ordinaire,

enfin je voulais être un exemple, moi aussi, pour qu'on me voie, et qu'en me voyant on rende hommage à ce qui m'avait fait meilleur, à travers moi saluez mon Seigneur.

Soleil sauvage! il se lève, le désert change, il n'a plus la couleur du cyclamen des montagnes, ô ma montagne, et la neige, la douce neige molle, non c'est un jaune un peu gris, l'heure ingrate avant le grand éblouissement. Rien, rien encore jusqu'à l'horizon, devant moi, là-bas où le plateau disparaît dans un cercle de couleurs encore tendres. Derrière moi, la piste remonte jusqu'à la dune qui cache Taghâsa dont le nom de fer bat dans ma tête depuis tant d'années. Le premier à m'en parler a été le vieux prêtre à demi aveugle qui faisait sa retraite au couvent, mais pourquoi le premier, il était le seul, et moi, ce n'est pas la ville de sel, les murs blancs dans le soleil torride, qui m'ont frappé dans son récit, non, mais la cruauté des habitants sauvages, et la ville fermée à tous les étrangers, un seul de ceux qui avaient tenté d'y entrer, un seul, à sa connaissance, avait pu raconter ce qu'il avait vu. Ils l'avaient fouetté et chassé dans le désert après avoir mis du sel sur ses plaies et dans sa bouche, il avait rencontré des nomades pour une fois compatissants, une chance, et moi, depuis, je rêvais sur son récit, au feu du sel et du ciel, à la maison du fétiche et à ses esclaves, pouvait-on trouver plus barbare, plus excitant, oui, là était ma mission, et je devais aller leur montrer mon Seigneur.

Ils m'en ont fait des discours au séminaire pour me décourager et qu'il fallait attendre, ce n'était pas un pays de mission, je n'étais pas mûr, je devais me préparer particulièrement, savoir qui j'étais, et encore il fallait m'éprouver, on verrait ensuite! Mais toujours attendre ah! non, oui, si on voulait, pour la préparation particulière et les épreuves puisqu'elles se faisaient en Alger et qu'elles me rapprochaient, mais pour le reste je secouais ma tête dure et je répétais la même chose, rejoindre les plus barbares et vivre leur vie, leur montrer chez eux, et jusque dans la maison du fétiche, par l'exemple, que la vérité de mon Seigneur était la plus forte. Ils m'offenseraient, bien sûr, mais les offenses ne me faisaient pas peur, elles étaient nécessaires à la démonstration, et par la manière dont je les subirais, je subjuguerais ces sauvages, comme un soleil puissant. Puissant, oui, c'était le mot que, sans cesse, je roulais sur ma langue, je rêvais du pouvoir absolu, celui qui fait mettre genoux à terre, qui force l'adversaire à capituler, le convertit enfin, et plus l'adversaire est aveugle, cruel, sûr de lui, enseveli dans sa conviction, et plus son aveu proclame la royauté de celui qui a provoqué sa défaite. Convertir des braves gens un peu égarés, c'était l'idéal minable de nos prêtres, je les méprisais de tant pouvoir et d'oser si peu, ils n'avaient pas la foi et je l'avais, je voulais être reconnu par les bourreaux eux-mêmes, les jeter à genoux et leur faire dire : « Seigneur, voici ta victoire », régner enfin par la seule parole sur une armée de méchants. Ah! j'étais certain de bien raisonner là-dessus, jamais très sûr de moi autrement, mais mon idée quand je l'ai, je ne la lâche plus, c'est ma force, oui, ma force à moi dont ils avaient tous pitié!

Le soleil est encore monté, mon front commence à brûler. Les pierres autour de moi crépitent sourdement, seul le canon du fusil est frais, frais comme les prés, comme la pluie du soir, autrefois, quand la soupe cuisait doucement, ils m'attendaient, mon père et ma mère, qui parfois me souriaient, je les aimais peut-être. Mais c'est fini, un voile de chaleur commence à se lever de la piste, viens, missionnaire, je t'attends, je sais maintenant ce qu'il faut répondre au message, mes nouveaux maîtres m'ont donné la leçon, et je sais qu'ils ont raison, il faut régler son compte à l'amour. Quand j'ai fui du séminaire, à Alger, je les imaginais autrement, ces barbares, une seule chose était vraie dans mes rêveries, ils sont méchants. Moi, j'avais volé la caisse de l'économat, quitté la robe, j'ai traversé l'Atlas, les hauts plateaux et le désert, le chauffeur de la Transsaharienne se moquait de moi : « Ne va pas là-bas », lui aussi qu'est-ce qu'ils avaient tous, et les vagues de sable pendant des centaines de kilomètres, échevelées, avançant puis reculant sous le vent, et la montagne à nouveau, toute en pics noirs, en arêtes coupantes comme du fer, et après elle il a fallu un guide pour aller sur la mer de cailloux bruns, interminable, hurlante de chaleur, brûlante de mille miroirs hérissés de feux,

jusqu'à cet endroit, à la frontière de la terre des
noirs et du pays blanc, où s'élève la ville de sel.
Et l'argent que le guide m'a volé, naïf toujours
naïf je le lui avais montré, mais il m'a laissé sur
la piste, par ici, justement, après m'avoir frappé :
« Chien, voilà la route j'ai de l'honneur, va, va
là-bas, ils t'apprendront », et ils m'ont appris, oh
oui, ils sont comme le soleil qui n'en finit pas,
sauf la nuit, de frapper toujours, avec éclat et
orgueil, qui me frappe fort en ce moment, trop
fort, à coups de lances brûlantes soudain sorties
du sol, oh à l'abri, oui à l'abri, sous le grand rocher,
avant que tout s'embrouille.

L'ombre ici est bonne. Comment peut-on vivre
dans la ville de sel, au creux de cette cuvette pleine
de chaleur blanche? Sur chacun des murs droits,
taillés à coups de pic, grossièrement rabotés, les
entailles laissées par le pic se hérissent en écailles
éblouissantes, du sable blond épars les jaunit un
peu, sauf quand le vent nettoie les murs droits et
les terrasses, tout resplendit alors dans une blancheur fulgurante, sous le ciel nettoyé lui aussi
jusqu'à son écorce bleue. Je devenais aveugle, dans
ces jours où l'immobile incendie crépitait pendant
des heures sur la surface des terrasses blanches qui
semblaient se rejoindre toutes comme si, un jour
d'autrefois, ils avaient attaqué ensemble une montagne de sel, l'avaient d'abord aplanie, puis, à
même la masse, avaient creusé les rues, l'intérieur
des maisons, et les fenêtres, ou comme si, oui, c'est
mieux, ils avaient découpé leur enfer blanc et

brûlant avec un chalumeau d'eau bouillante, juste
pour montrer qu'ils sauraient habiter là où personne ne le pourrait jamais, à trente jours de toute
vie, dans ce creux au milieu du désert, où la chaleur du plein jour interdit tout contact entre les
êtres, dresse entre eux des herses de flammes invisibles et de cristaux bouillants, où sans transition
le froid de la nuit les fige un à un dans leurs
coquillages de gemme, habitants nocturnes d'une
banquise sèche, esquimaux noirs grelottant tout
d'un coup dans leurs igloos cubiques. Noirs oui,
car ils sont habillés de longues étoffes noires et le
sel qui envahit jusqu'aux ongles, qu'on remâche
amèrement dans le sommeil polaire des nuits, le
sel qu'on boit dans l'eau qui vient à l'unique
source au creux d'une entaille brillante, laisse
parfois sur leurs robes sombres des traces semblables
aux traînées des escargots après la pluie.

La pluie, ô Seigneur, une seule vraie pluie,
longue, dure, la pluie de ton ciel! Alors enfin la
ville affreuse, rongée peu à peu, s'affaisserait avec
lenteur, irrésistiblement, et, fondue tout entière
dans un torrent visqueux, emporterait vers les
sables ses habitants féroces. Une seule pluie, Seigneur! Mais quoi, quel seigneur, ce sont eux les
seigneurs! Ils règnent sur leurs maisons stériles,
sur leurs esclaves noirs qu'ils font mourir à la mine,
et chaque plaque de sel découpée vaut un homme
dans les pays du Sud, ils passent, silencieux, couverts de leurs voiles de deuil, dans la blancheur
minérale des rues, et, la nuit venue, quand la ville

entière semble un fantôme laiteux, ils entrent, en se courbant, dans l'ombre des maisons où les murs de sel luisent faiblement. Ils dorment, d'un sommeil sans poids, et dès le réveil ils commandent, ils frappent, ils disent qu'ils ne sont qu'un seul peuple, que leur dieu est le vrai, et qu'il faut obéir. Ce sont mes seigneurs, ils ignorent la pitié et, comme des seigneurs, ils veulent être seuls, avancer seuls, régner seuls, puisque seuls ils ont eu l'audace de bâtir dans le sel et les sables une froide cité torride. Et moi...

Quelle bouillie quand la chaleur monte, je transpire, eux jamais, maintenant l'ombre elle aussi s'échauffe, je sens le soleil sur la pierre au-dessus de moi, il frappe, frappe comme un marteau sur toutes les pierres et c'est la musique, la vaste musique de midi, vibration d'air et de pierres sur des centaines de kilomètres râ comme autrefois j'entends le silence. Oui, c'était le même silence, il y a des années de cela, qui m'a accueilli quand les gardes m'ont mené à eux, dans le soleil, au centre de la place, d'où peu à peu les terrasses concentriques s'élevaient vers le couvercle de ciel bleu dur qui reposait sur les bords de la cuvette. J'étais là, jeté à genoux au creux de ce bouclier blanc, les yeux rongés par les épées de sel et de feu qui sortaient de tous les murs, pâle de fatigue, l'oreille saignante du coup que m'avait donné le guide et eux, grands, noirs, me regardaient sans rien dire. La journée était dans son milieu. Sous les coups du soleil de fer, le ciel résonnait longuement, plaque de tôle chauffée à blanc, c'était le même silence et ils me regardaient, le temps passait, ils n'en finissaient plus de me regarder, et, moi, je ne pouvais soutenir leurs regards, je haletais de plus en plus fort, j'ai pleuré enfin, et soudain ils m'ont tourné le dos en silence et sont partis tous ensemble dans la même direction. A genoux, je voyais seulement, dans les sandales rouges et noires, leurs pieds brillants de sel soulever la longue robe sombre, la pointe un peu dressée, le talon frappant légèrement le sol, et quand la place a été vide, on m'a traîné à la maison du fétiche.

Accroupi, comme aujourd'hui à l'abri du rocher, et le feu au-dessus de ma tête perce l'épaisseur de la pierre, je suis resté plusieurs jours dans l'ombre de la maison du fétiche, un peu plus haute que les autres, entourée d'une enceinte de sel, mais sans fenêtre, pleine d'une nuit scintillante. Plusieurs jours, et l'on me donnait une écuelle d'eau saumâtre et du grain qu'on jetait devant moi comme on donne aux poules, je le ramassais. Le jour, la porte restait fermée et pourtant, l'ombre devenait plus légère, comme si le soleil irrésistible parvenait à couler à travers les masses de sel. Nulle lampe, mais en marchant à tâtons le long des parois, je touchais des guirlandes de palmes sèches qui décoraient les murs et, au fond, une petite porte, grossièrement taillée, dont je reconnaissais, du bout des doigts, le loquet. Plusieurs jours, longtemps après, je ne pouvais compter les journées ni les heures, mais on m'avait jeté ma poignée de grains une dizaine de fois et j'avais creusé un trou pour mes

ordures que je recouvrais en vain, l'odeur de tanière
flottait toujours, longtemps après, oui, la porte
s'est ouverte à deux battants et ils sont entrés.

L'un d'eux est venu vers moi, accroupi dans un
coin. Je sentais contre ma joue le feu du sel, je
respirais l'odeur poussiéreuse des palmes, je le regardais venir. Il s'est arrêté à un mètre de moi, il me
fixait en silence, un signe et je me suis levé, il
me fixait de ses yeux de métal qui brillaient,
inexpressifs, dans sa face brune de cheval, puis il
a levé la main. Toujours impassible, il m'a saisi
par la lèvre inférieure qu'il a tordue lentement,
jusqu'à m'arracher la chair et, sans desserrer les
doigts, m'a fait tourner sur moi-même, reculer
jusqu'au centre de la pièce, il a tiré sur ma lèvre
pour que je tombe à genoux, là, éperdu, la bouche
sanglante, puis il s'est détourné pour rejoindre les
autres, rangés le long des murs. Ils me regardaient
gémir dans l'ardeur intolérable du jour sans une
ombre qui entrait par la porte largement ouverte,
et dans cette lumière a surgi le sorcier aux cheveux
de rafia, le torse couvert d'une cuirasse de perles,
les jambes nues sous une jupe de paille, avec un
masque de roseaux et de fil de fer où deux ouver-
tures carrées avaient été pratiquées pour les yeux.
Il était suivi de musiciens et de femmes, aux lourdes
robes bariolées qui ne laissaient rien deviner de
leurs corps. Ils ont dansé devant la porte du fond,
mais d'une danse grossière, à peine rythmée, ils
remuaient, voilà tout, et enfin le sorcier a ouvert
la petite porte derrière moi, les maîtres ne bou-

geaient pas, ils me regardaient, je me suis retourné
et j'ai vu le fétiche, sa double tête de hache, son
nez de fer tordu comme un serpent.

On m'a porté devant lui, au pied du socle, on
m'a fait boire une eau noire, amère, amère, et
aussitôt ma tête s'est mise à brûler, je riais, voilà
l'offense, je suis offensé. Ils m'ont déshabillé, rasé
la tête et le corps, lavé à l'huile, battu le visage
avec des cordes trempées dans l'eau et le sel, et je
riais et détournais la tête mais, chaque fois, deux
femmes me prenaient par les oreilles et présentaient
mon visage aux coups du sorcier dont je ne voyais
que les yeux carrés, je riais toujours, couvert de
sang. Ils se sont arrêtés, personne ne parlait, que
moi, la bouillie commençait déjà dans ma tête,
puis ils m'ont relevé et forcé à lever les yeux sur
le fétiche, je ne riais plus. Je savais que je lui étais
maintenant voué pour le servir, l'adorer, non, je
ne riais plus, la peur et la douleur m'étouffaient.
Et là, dans cette maison blanche, entre ces murs
que le soleil brûlait au-dehors avec application, le
visage tendu, la mémoire exténuée, oui, j'ai essayé
de prier le fétiche, il n'y avait que lui, et même
son visage horrible était moins horrible que le reste
du monde. C'est alors qu'on a enchaîné mes chevilles
avec une corde qui laissait libre la longueur de
mon pas, ils ont encore dansé, mais cette fois devant
le fétiche, les maîtres un à un sont sortis.

La porte fermée derrière eux, la musique à nouveau, et le sorcier a allumé un feu d'écorces autour
duquel il trépignait, sa grande silhouette se brisait

aux encoignures des murs blancs, palpitait sur les
surfaces plates, remplissait la pièce d'ombres dan-
santes. Il a tracé un rectangle dans un coin où les
femmes m'ont traîné, je sentais leurs mains sèches
et douces, elles ont placé près de moi un bol d'eau
et un petit tas de grains et m'ont montré le fétiche,
j'ai compris que je devais garder les yeux fixés
sur lui. Alors le sorcier les a appelées, une à une,
près du feu, il en a battu quelques-unes qui gémis-
saient, et qui sont allées ensuite se prosterner
devant le fétiche mon dieu, pendant que le sorcier
dansait encore et il les a toutes fait sortir de la
pièce jusqu'à ce qu'il n'en restât plus qu'une, toute
jeune, accroupie près des musiciens et qui n'avait
pas encore été battue. Il la tenait par une tresse
qu'il tordait de plus en plus sur son poing, elle
se renversait, les yeux exorbités, jusqu'à ce qu'enfin
elle tombe sur le dos. Le sorcier la lâchant a crié,
les musiciens se sont retournés contre le mur,
pendant que derrière le masque aux yeux carrés
le cri enflait jusqu'à l'impossible, et la femme se
roulait à terre dans une sorte de crise et, à quatre
pattes enfin, la tête cachée dans les bras joints,
elle a crié elle aussi, mais sourdement et c'est ainsi
que, sans cesser de hurler et de regarder le fétiche,
le sorcier l'a prise prestement, avec méchanceté, sans
qu'on puisse voir le visage de la femme, maintenant enseveli sous les plis lourds de la robe. Et
moi, à force de solitude, égaré, n'ai-je pas crié aussi,
oui, hurlé d'épouvante vers le fétiche jusqu'à ce
qu'un coup de pied me rejette contre le mur,

mordant le sel, comme je mords aujourd'hui le rocher, de ma bouche sans langue, en attendant celui qu'il faut que je tue.

Maintenant, le soleil a un peu dépassé le milieu du ciel. Entre les fentes du rocher, je vois le trou qu'il fait dans le métal surchauffé du ciel, bouche comme la mienne volubile, et qui vomit sans trêve des fleuves de flammes au-dessus du désert sans couleur. Sur la piste devant moi, rien, pas une poussière à l'horizon, derrière moi ils doivent me rechercher, non, pas encore, c'est à la fin de l'après-midi seulement qu'on ouvrait la porte et je pouvais sortir un peu, après avoir toute la journée nettoyé la maison du fétiche, renouvelé les offrandes et, le soir, la cérémonie commençait où j'étais parfois battu, d'autres fois non, mais toujours je servais le fétiche, le fétiche dont j'ai l'image gravée au fer dans le souvenir et maintenant dans l'espérance. Jamais un dieu ne m'avait tant possédé ni asservi, toute ma vie jours et nuits lui était vouée, et la douleur et l'absence de douleur, n'était-ce pas la joie, lui étaient dues et même, oui, le désir, à force d'assister, presque chaque jour, à cet acte impersonnel et méchant que j'entendais sans le voir, puisque je devais maintenant regarder le mur sous peine d'être battu. Mais le visage collé contre le sel, dominé par les ombres bestiales qui s'agitaient sur la paroi, j'écoutais le long cri, ma gorge était sèche, un brûlant désir sans sexe me serrait les tempes et le ventre. Les jours ainsi succédaient aux jours, je les distinguais à peine

les uns des autres, comme s'ils se liquéfiaient dans
la chaleur torride et la réverbération sournoise
des murs de sel, le temps n'était plus qu'un clapo-
tement informe où venaient éclater seulement, à
intervalles réguliers, des cris de douleur ou de possession, long jour sans âge où le fétiche régnait
comme ce soleil féroce sur ma maison de rochers,
et maintenant comme alors, je pleure de malheur
et de désir, un espoir méchant me brûle, je veux
trahir, je lèche le canon de mon fusil et son âme
à l'intérieur, son âme, seuls les fusils ont des âmes,
oh! oui, le jour où l'on m'a coupé la langue, j'ai
appris à adorer l'âme immortelle de la haine!

Quelle bouillie, quelle fureur, râ râ, ivre de
chaleur et de colère, prosterné, couché sur mon
fusil. Qui halète ici? Je ne peux supporter cette
chaleur qui n'en finit plus, cette attente, il faut
que je le tue. Nul oiseau, nul brin d'herbe, la
pierre, un désir aride, le silence, leurs cris, cette
langue en moi qui parle et, depuis qu'ils m'ont
mutilé, la longue souffrance plate et déserte privée
même de l'eau de la nuit, la nuit à laquelle je
rêvais, enfermé avec le dieu, dans ma tanière de
sel. Seule la nuit, avec ses étoiles fraîches et ses
fontaines obscures, pouvait me sauver, m'enlever
enfin aux dieux méchants des hommes, mais toujours enfermé, je ne pouvais la contempler. Si
l'autre tarde encore, je la verrai au moins monter
du désert et envahir le ciel, froide vigne d'or qui
pendra du zénith obscur et où je pourrai boire à
loisir, humecter ce trou noir et desséché que nul

muscle de chair vivant et souple ne rafraîchit plus, oublier enfin ce jour où la folie m'a pris à la langue.

Qu'il faisait chaud, chaud, le sel fondait, je le croyais du moins, l'air me rongeait les yeux, et le sorcier est entré sans masque. Presque nue sous une loque grisâtre, une nouvelle femme le suivait dont le visage, couvert d'un tatouage qui lui donnait le masque du fétiche, n'exprimait rien qu'une stupeur mauvaise d'idole. Seul vivait son corps mince et plat qui s'est affalé au pied du dieu quand le sorcier a ouvert la porte du réduit. Puis il est sorti sans me regarder, la chaleur montait, je ne bougeais pas, le fétiche me contemplait par-dessus ce corps immobile, mais dont les muscles remuaient doucement et le visage d'idole de la femme n'a pas changé quand je me suis approché. Ses yeux seuls se sont agrandis en me fixant, mes pieds touchaient les siens, la chaleur alors s'est mise à hurler, et l'idole, sans rien dire, me regardant toujours de ses yeux dilatés, s'est renversée peu à peu sur le dos, a ramené lentement ses jambes vers elle, et les a élevées en écartant doucement les genoux. Mais, tout de suite après, râ le sorcier me guettait, ils sont tous entrés et m'ont arraché à la femme, battu terriblement à l'endroit du péché, le péché! quel péché, je ris, où est-il, où la vertu, ils m'ont plaqué contre un mur, une main d'acier a serré mes mâchoires, une autre ouvert ma bouche, tiré ma langue jusqu'à ce qu'elle saigne, était-ce moi qui hurlais de ce cri de bête,

une caresse coupante et fraîche, oui fraîche enfin,
a passé sur ma langue. Quand j'ai repris connaissance, j'étais seul dans la nuit, collé contre la
paroi, couvert de sang durci, un bâillon d'herbes
sèches à l'odeur étrange emplissait ma bouche, elle
ne saignait plus, mais elle était inhabitée et dans
cette absence vivait seule une douleur torturante.
J'ai voulu me lever, je suis retombé, heureux,
désespérément heureux de mourir enfin, la mort
aussi est fraîche et son ombre n'abrite aucun dieu.

Je ne suis pas mort, une jeune haine s'est mise
debout un jour, en même temps que moi, a marché
vers la porte du fond, l'a ouverte, l'a fermée derrière moi, je haïssais les miens, le fétiche était là
et, du fond du trou où je me trouvais, j'ai fait
mieux que de le prier, j'ai cru en lui et j'ai nié
tout ce que j'avais cru jusque-là. Salut, il était la
force et la puissance, on pouvait le détruire, mais
non le convertir, il regardait au-dessus de ma tête
de ses yeux vides et rouillés. Salut, il était le
maître, le seul seigneur, dont l'attribut indiscutable
était la méchanceté, il n'y a pas de maîtres bons.
Pour la première fois, à force d'offenses, le corps
entier criant d'une seule douleur, je m'abandonnai
à lui et approuvai son ordre malfaisant, j'adorai
en lui le principe méchant du monde. Prisonnier
de son royaume, la ville stérile sculptée dans une
montagne de sel, séparée de la nature, privée des
floraisons fugitives et rares du désert, soustraite à
ces hasards ou ces tendresses, un nuage insolite, une
pluie rageuse et brève, que même le soleil ou les

sables connaissent, la ville de l'ordre enfin, angles
droits, chambres carrées, hommes roides, je m'en
fis librement le citoyen haineux et torturé, je
reniai la longue histoire qu'on m'avait enseignée.
On m'avait trompé, seul le règne de la méchanceté
était sans fissures, on m'avait trompé, la vérité est
carrée, lourde, dense, elle ne supporte pas la
nuance, le bien est une rêverie, un projet sans cesse
remis et poursuivi d'un effort exténuant, une limite
qu'on n'atteint jamais, son règne est impossible. Seul
le mal peut aller jusqu'à ses limites et régner absolument, c'est lui qu'il faut servir pour installer
son royaume visible, ensuite on avisera, ensuite
qu'est-ce que ça veut dire, seul le mal est présent,
à bas l'Europe, la raison et l'honneur et la croix.
Oui, je devais me convertir à la religion de mes
maîtres, oui oui j'étais esclave, mais si moi aussi
je suis méchant je ne suis plus esclave, malgré
mes pieds entravés et ma bouche muette. Oh! cette
chaleur me rend fou, le désert crie partout sous
la lumière intolérable, et lui, l'autre, le Seigneur
de la douceur, dont le seul nom me révulse, je le
renie, car je le connais maintenant. Il rêvait et il
voulait mentir, on lui a coupé la langue pour que
sa parole ne vienne plus tromper le monde, on l'a
percé de clous jusque dans la tête, sa pauvre tête,
comme la mienne maintenant, quelle bouillie, que
je suis fatigué, et la terre n'a pas tremblé, j'en suis
sûr, ce n'était pas un juste qu'on avait tué, je
refuse de le croire, il n'y a pas de justes mais des
maîtres méchants qui font régner la vérité impla-

cable. Oui, le fétiche seul a la puissance, il est le
dieu unique de ce monde, la haine est son com-
mandement, la source de toute vie, l'eau fraîche,
fraîche comme la menthe qui glace la bouche et
brûle l'estomac.

J'ai changé alors, ils l'ont compris, je baisais
leur main quand je les rencontrais, j'étais des
leurs, les admirant sans me lasser, je leur faisais
confiance, j'espérais qu'ils mutileraient les miens
comme ils m'avaient mutilé. Et quand j'ai appris
que le missionnaire allait venir, j'ai su ce que je
devais faire. Ce jour pareil aux autres, le même
jour aveuglant qui continuait depuis si longtemps!
A la fin de l'après-midi, on a vu surgir un garde,
courant sur le haut de la cuvette, et, quelques
minutes après, j'étais traîné à la maison du fétiche
la porte fermée. L'un d'entre eux me maintenait
à terre, dans l'ombre, sous la menace de son sabre
en forme de croix et le silence a duré longtemps
jusqu'à ce qu'un bruit inconnu remplisse la ville
d'ordinaire paisible, des voix que j'ai mis longtemps à reconnaître parce qu'elles parlaient ma
langue, mais dès qu'elles résonnèrent la pointe de
la lame s'abaissa sur mes yeux, mon garde me
fixait en silence. Deux voix se sont alors rappro-
chées que j'entends encore, l'une demandant pourquoi cette maison était gardée, si on devait enfoncer la porte, mon lieutenant, l'autre disait :
« Non », d'une voix brève, puis ajoutait, après un
moment, qu'un accord était conclu, que la ville
acceptait une garnison de vingt hommes à condi-

tion qu'ils campent hors de l'enceinte et qu'ils respectent les usages. Le soldat a ri, ils mettent les pouces mais l'officier ne savait pas, pour la première fois en tout cas ils acceptaient de recevoir quelqu'un pour soigner les enfants et ce serait l'aumônier, après on s'occuperait du territoire. L'autre a dit qu'ils couperaient à l'aumônier ce qu'il pensait si les soldats n'étaient pas là : « Oh! non, a répondu l'officier, et même le Père Beffort arrivera avant la garnison, il sera ici dans deux jours. » Je n'entendais plus rien, immobile, atterré sous la lame, j'avais mal, une roue d'aiguilles et de couteaux tournait en moi. Ils étaient fous, ils étaient fous, ils laissaient toucher à la ville, à leur puissance invincible, au vrai dieu, et l'autre, celui qui allait venir, on ne lui couperait pas la langue, il ferait parade de son insolente bonté sans rien payer, sans subir d'offenses. Le règne du mal serait retardé, il y aurait encore du doute, on allait à nouveau perdre du temps à rêver du bien impossible, à s'épuiser en efforts stériles au lieu de hâter la venue du seul royaume possible et je regardais la lame qui me menaçait, ô puissance qui seule règnes sur le monde! O puissance, et la ville se vidait peu à peu de ses bruits, la porte enfin s'est ouverte, je suis resté seul, brûlé, amer, avec le fétiche, et je lui ai juré de sauver ma nouvelle foi, mes vrais maîtres, mon Dieu despote, de bien trahir, quoi qu'il m'en coutât.

Râ, la chaleur cède un peu, la pierre ne vibre plus, je peux sortir de mon trou, regarder le désert

se couvrir une à une des couleurs jaunes et ocres,
bientôt mauves. Cette nuit, j'ai attendu qu'ils
dorment, j'avais coincé la serrure de la porte, je
suis sorti du même pas que toujours, mesuré par
la corde, je connaissais les rues, je savais où prendre
le vieux fusil, quelle sortie n'était pas gardée, et
je suis arrivé ici à l'heure où la nuit se décolore
autour d'une poignée d'étoiles tandis que le désert
fonce un peu. Et maintenant, il me semble qu'il y a
des jours et des jours que je suis tapi dans ces
rochers. Vite, vite, oh, qu'il vienne vite! Dans un
moment, ils vont commencer à me chercher, ils
voleront sur les pistes de tous les côtés, ils ne
sauront pas que je suis parti pour eux et pour
mieux les servir, mes jambes sont faibles ivre de
faim et de haine. O ô, là-bas, râ râ au bout de
la piste deux chameaux grandissent, courant à
l'amble, doublés déjà par de courtes ombres, ils
courent de cette allure vive et rêveuse qu'ils ont
toujours. Les voici enfin, voici!

　　Le fusil, vite, et je l'arme vite. O fétiche, mon
dieu là-bas, que ta puissance soit maintenue, que
l'offense soit multipliée, que la haine règne sans
pardon sur un monde de damnés, que le méchant
soit à jamais le maître, que le royaume enfin arrive
où dans une seule ville de sel et de fer de noirs
tyrans asserviront et posséderont sans pitié! Et
maintenant, râ râ feu sur la pitié, feu sur l'impuissance et sa charité, feu sur tout ce qui retarde la
venue du mal, feu deux fois, et les voilà qui se ren-
versent, tombent, et les chameaux fuient droit vers

l'horizon, où un geyser d'oiseaux noirs vient de
s'élever dans le ciel inaltéré. Je ris, je ris, celui-ci
se tord dans sa robe détestée, il dresse un peu la
tête, me voit, moi, son maître entravé tout-puis-
sant, pourquoi me sourit-il, j'écrase ce sourire! Que
le bruit est bon de la crosse sur le visage de la
bonté, aujourd'hui, aujourd'hui enfin, tout est
consommé et partout dans le désert, jusqu'à des
heures d'ici, des chacals hument le vent absent, puis
se mettent en marche, d'un petit trot patient, vers
le festin de charogne qui les attend. Victoire!
j'étends les bras vers le ciel qui s'attendrit, une
ombre violette se devine au bord opposé, ô nuits
d'Europe, patrie, enfance, pourquoi faut-il que je
pleure au moment du triomphe?

Il a bougé, non, le bruit vient d'ailleurs, et de
l'autre côté là-bas ce sont eux, les voilà qui accou-
rent comme un vol d'oiseaux sombres, mes maîtres,
qui foncent sur moi, me saisissent, ah! ah! oui,
frappez, ils craignent leur ville éventrée et hurlante, ils craignent les soldats vengeurs que j'ai
appelés, c'est ce qu'il fallait, sur la cité sacrée.
Défendez-vous maintenant, frappez, frappez sur
moi d'abord, vous avez la vérité! O mes maîtres,
ils vaincront ensuite les soldats, ils vaincront la parole et l'amour, ils remonteront les déserts, passeront
les mers, rempliront la lumière d'Europe de leurs
voiles noirs, frappez au ventre, oui, frappez aux
yeux, sèmeront leur sel sur le continent, toute
végétation, toute jeunesse s'éteindra, et des foules
muettes aux pieds entravés chemineront à mes côtés

dans le désert du monde sous le soleil cruel de la
vraie foi, je ne serai plus seul. Ah! le mal, le mal
qu'ils me font, leur fureur est bonne et sur cette
selle guerrière où maintenant ils m'écartèlent, pitié,
je ris, j'aime ce coup qui me cloue crucifié.

. . . .

Que le désert est silencieux! La nuit déjà et je
suis seul, j'ai soif. Attendre encore, où est la ville,
ces bruits au loin, et les soldats peut-être vainqueurs, non il ne faut pas, même si les soldats
sont vainqueurs, ils ne sont pas assez méchants,
ils ne sauront pas régner, ils diront encore qu'il
faut devenir meilleur, et toujours encore des millions d'hommes entre le mal et le bien, déchirés,
interdits, ô fétiche pourquoi m'as-tu abandonné?
Tout est fini, j'ai soif, mon corps brûle, la nuit
plus obscure emplit mes yeux.

Ce long, ce long rêve, je m'éveille, mais non, je
vais mourir, l'aube se lève, la première lumière le
jour pour d'autres vivants, et pour moi le soleil
inexorable, les mouches. Qui parle, personne, le
ciel ne s'entrouvre pas, non, non, Dieu ne parle pas
au désert, d'où vient cette voix pourtant qui dit :
« Si tu consens à mourir pour la haine et la puissance, qui nous pardonnera? » Est-ce une autre
langue en moi ou celui-ci toujours qui ne veut
pas mourir, à mes pieds, et qui répète : « Courage,
courage, courage? » Ah! Si je m'étais trompé à
nouveau! Hommes autrefois fraternels, seuls re-
cours, ô solitude, ne m'abandonnez pas! Voici,

voici, qui es-tu, déchiré, la bouche sanglante, c'est toi, sorcier, les soldats t'ont vaincu, le sel brûle là-bas, c'est toi mon maître bien-aimé! Quitte ce visage de haine, sois bon maintenant, nous nous sommes trompés, nous recommencerons, nous referons la cité de miséricorde, je veux retourner chez moi. Oui, aide-moi, c'est cela, tends ta main, donne... »

Une poignée de sel emplit la bouche de l'esclave bavard.

LES MUETS

ON était au plein de l'hiver et cependant une
journée radieuse se levait sur la ville déjà active.
Au bout de la jetée, la mer et le ciel se confondaient dans un même éclat. Yvars, pourtant, ne les
voyait pas. Il roulait lourdement le long des bou-
levards qui dominent le port. Sur la pédale fixe
de la bicyclette, sa jambe infirme reposait, immobile, tandis que l'autre peinait pour vaincre les
pavés encore mouillés de l'humidité nocturne. Sans
relever la tête, tout menu sur sa selle, il évitait les
rails de l'ancien tramway, il se rangeait d'un coup
de guidon brusque pour laisser passer les automo-
biles qui le doublaient et, de temps en temps, il
renvoyait du coude, sur ses reins, la musette où
Fernande avait placé son déjeuner. Il pensait alors
avec amertume au contenu de la musette. Entre
les deux tranches de gros pain, au lieu de l'omelette à l'espagnole qu'il aimait, ou du bifteck frit
dans l'huile, il avait seulement du fromage.

Le chemin de l'atelier ne lui avait jamais paru

aussi long. Il vieillissait, aussi. A quarante ans, et
bien qu'il fût resté sec comme un sarment de
vigne, les muscles ne se réchauffent pas aussi vite.
Parfois, en lisant des comptes rendus sportifs où
l'on appelait vétéran un athlète de trente ans, il
haussait les épaules. « Si c'est un vétéran, disait-il
à Fernande, alors, moi, je suis déjà aux allongés. »
Pourtant, il savait que le journaliste n'avait pas
tout à fait tort. A trente ans, le souffle fléchit déjà,
imperceptiblement. A quarante, on n'est pas aux
allongés, non, mais on s'y prépare, de loin, avec
un peu d'avance. N'était-ce pas pour cela que
depuis longtemps il ne regardait plus la mer, pendant le trajet qui le menait à l'autre bout de la
ville où se trouvait la tonnellerie? Quand il avait
vingt ans, il ne pouvait se lasser de la contempler;
elle lui promettait une fin de semaine heureuse, à
la plage. Malgré ou à cause de sa boiterie, il avait
toujours aimé la nage. Puis les années avaient
passé, il y avait eu Fernande, la naissance du garçon, et, pour vivre, les heures supplémentaires, à
la tonnellerie le samedi, le dimanche chez des par-
ticuliers où il bricolait. Il avait perdu peu à peu
l'habitude de ces journées violentes qui le rassa-
siaient. L'eau profonde et claire, le fort soleil, les
filles, la vie du corps, il n'y avait pas d'autre
bonheur dans son pays. Et ce bonheur passait avec
la jeunesse. Yvars continuait d'aimer la mer, mais
seulement à la fin du jour quand les eaux de la
baie fonçaient un peu. L'heure était douce sur
la terrasse de sa maison où il s'asseyait après le

travail, content de sa chemise propre que Fernande savait si bien repasser, et du verre d'anisette couvert de buée. Le soir tombait, une douceur brève s'installait dans le ciel, les voisins qui parlaient avec Yvars baissaient soudain la voix. Il ne savait pas alors s'il était heureux, ou s'il avait envie de pleurer. Du moins, il était d'accord dans ces moments-là, il n'avait rien à faire qu'à attendre, doucement, sans trop savoir quoi.

Les matins où il regagnait son travail, au contraire, il n'aimait plus regarder la mer, toujours fidèle au rendez-vous, mais qu'il ne reverrait qu'au soir. Ce matin-là, il roulait, la tête baissée, plus pesamment encore que d'habitude : le cœur aussi était lourd. Quand il était rentré de la réunion, la veille au soir, et qu'il avait annoncé qu'on reprenait le travail : « Alors, avait dit Fernande joyeuse, le patron vous augmente? » Le patron n'augmentait rien du tout, la grève avait échoué. Ils n'avaient pas bien manœuvré, on devait le reconnaître. Une grève de colère, et le syndicat avait eu raison de suivre mollement. Une quinzaine d'ouvriers, d'ailleurs, ce n'était pas grand-chose; le syndicat tenait compte des autres tonnelleries qui n'avaient pas marché. On ne pouvait pas trop leur en vouloir. La tonnellerie, menacée par la construction des bateaux et des camions-citernes, n'allait pas fort. On faisait de moins en moins de barils et de bordelaises; on réparait surtout les grands foudres qui existaient déjà. Les patrons voyaient leurs affaires compromises, c'était vrai, mais ils

voulaient quand même préserver une marge de
bénéfices; le plus simple leur paraissait encore de
freiner les salaires, malgré la montée des prix.
Que peuvent faire des tonneliers quand la tonnellerie disparaît? On ne change pas de métier quand
on a pris la peine d'en apprendre un; celui-ci était
difficile, il demandait un long apprentissage. Le
bon tonnelier, celui qui ajuste ses douelles courbes,
les resserre au feu et au cercle de fer, presque her-
métiquement, sans utiliser le rafia ou l'étoupe, était
rare. Yvars le savait et il en était fier. Changer de
métier n'est rien, mais renoncer à ce qu'on sait, à
sa propre maîtrise, n'est pas facile. Un beau métier
sans emploi, on était coincé, il fallait se résigner.
Mais la résignation non plus n'est pas facile. Il
était difficile d'avoir la bouche fermée, de ne pas
pouvoir vraiment discuter et de reprendre la même
route, tous les matins, avec une fatigue qui s'accu-
mule, pour recevoir, à la fin de la semaine, seulement ce qu'on veut bien vous donner, et qui suffit
de moins en moins.

Alors, ils s'étaient mis en colère. Il y en avait
deux ou trois qui hésitaient, mais la colère les avait
gagnés aussi après les premières discussions avec le
patron. Il avait dit en effet, tout sec, que c'était à
prendre ou à laisser. Un homme ne parle pas ainsi.
« Qu'est-ce qu'il croit! avait dit Esposito, qu'on
va baisser le pantalon? » Le patron n'était pas un
mauvais bougre, d'ailleurs. Il avait pris la succes-
sion du père, avait grandi dans l'atelier et connaissait depuis des années presque tous les ouvriers. Il

les invitait parfois à des casse-croûte, dans la tonnellerie; on faisait griller des sardines ou du boudin
sur des feux de copeaux et, le vin aidant, il était
vraiment très gentil. A la nouvelle année, il donnait
toujours cinq bouteilles de vin fin à chacun des
ouvriers, et souvent, quand il y avait parmi eux
un malade ou simplement un événement, mariage
ou communion, il leur faisait un cadeau d'argent.
A la naissance de sa fille, il y avait eu des dragées
pour tout le monde. Deux ou trois fois, il avait
invité Yvars à chasser dans sa propriété du littoral.
Il aimait bien ses ouvriers, sans doute, et il rappelait souvent que son père avait débuté comme
apprenti. Mais il n'était jamais allé chez eux, il ne
se rendait pas compte. Il ne pensait qu'à lui, parce
qu'il ne connaissait que lui, et maintenant c'était
à prendre ou à laisser. Autrement dit, il s'était
buté à son tour. Mais, lui, il pouvait se le per-
mettre.

Ils avaient forcé la main au syndicat, l'atelier
avait fermé ses portes. « Ne vous fatiguez pas pour
les piquets de grève, avait dit le patron. Quand
l'atelier ne travaille pas, je fais des économies. » Ce
n'était pas vrai, mais ça n'avait pas arrangé les
choses puisqu'il leur disait en pleine figure qu'il
les faisait travailler par charité. Esposito était fou
de rage et lui avait dit qu'il n'était pas un homme.
L'autre avait le sang chaud et il fallut les séparer.
Mais, en même temps, les ouvriers avaient été im-
pressionnés. Vingt jours de grève, les femmes tristes
à la maison, deux ou trois d'entre eux découragés,

et pour finir, le syndicat avait conseillé de céder, sur la promesse d'un arbitrage et d'une récupération des journées de grève par des heures supplémentaires. Ils avaient décidé la reprise du travail. En crânant, bien sûr, en disant que ce n'était pas cuit, que c'était à revoir. Mais ce matin, une fatigue qui ressemblait au poids de la défaite, le fromage au lieu de la viande, et l'illusion n'était plus possible. Le soleil avait beau briller, la mer ne promettait plus rien. Yvars appuyait sur son unique pédale et, chaque tour de roue, il lui semblait vieillir un peu plus. Il ne pouvait penser à l'atelier, aux camarades et au patron qu'il allait retrouver, sans que son cœur s'alourdît un peu plus. Fernande s'était inquiétée : « Qu'est-ce que vous allez lui dire? — Rien. » Yvars avait enfourché sa bicyclette, et secouait la tête. Il serrait les dents; son petit visage brun et ridé, aux traits fins, s'était fermé. « On travaille. Ça suffit. » Maintenant il roulait, les dents toujours serrées, avec une colère triste et sèche qui assombrissait jusqu'au ciel lui-même.

Il quitta le boulevard, et la mer, s'engagea dans les rues humides du vieux quartier espagnol. Elles débouchaient dans une zone occupée seulement par des remises, des dépôts de ferraille et des garages, où s'élevait l'atelier : une sorte de hangar, maçonné jusqu'à mi-hauteur, vitré ensuite jusqu'au toit de tôle ondulée. Cet atelier donnait sur l'ancienne tonnellerie, une cour encadrée de vieux préaux, qu'on avait abandonnée lorsque l'entreprise s'était agrandie et qui n'était plus maintenant

qu'un dépôt de machines usagées et de vieilles
futailles. Au-delà de la cour, séparé d'elle par une
sorte de chemin couvert en vieilles tuiles commençait le jardin du patron au bout duquel s'élevait
la maison. Grande et laide, elle était avenante,
cependant, à cause de sa vigne vierge et du maigre
chèvrefeuille qui entourait l'escalier extérieur.

Yvars vit tout de suite que les portes de l'atelier
étaient fermées. Un groupe d'ouvriers se tenait en
silence devant elles. Depuis qu'il travaillait ici,
c'était la première fois qu'il trouvait les portes
fermées en arrivant. Le patron avait voulu marquer
le coup. Yvars se dirigea vers la gauche, rangea sa
bicyclette sous l'appentis qui prolongeait le hangar
de ce côté et marcha vers la porte. Il reconnut de
loin Esposito, un grand gaillard brun et poilu qui
travaillait à côté de lui, Marcou, le délégué syn-
dical, avec sa tête de tenorino, Saïd, le seul Arabe
de l'atelier, puis tous les autres qui, en silence, le
regardaient venir. Mais avant qu'il les eût rejoints,
ils se retournèrent soudain vers les portes de l'atelier qui venaient de s'entrouvrir. Ballester, le
contremaître, apparaissait dans l'embrasure. Il
ouvrait l'une des lourdes portes et, tournant alors
le dos aux ouvriers, la poussait lentement sur son
rail de fonte.

Ballester, qui était le plus vieux de tous, désap-
prouvait la grève, mais s'était tu à partir du moment où Esposito lui avait dit qu'il servait les
intérêts du patron. Maintenant, il se tenait près de
la porte, large et court dans son tricot bleu marine,

déjà pieds nus (avec Saïd, il était le seul qui tra-
vaillât pieds nus) et il les regardait entrer un à
un, de ses yeux tellement clairs qu'ils paraissaient
sans couleur dans son vieux visage basané, la
bouche triste sous la moustache épaisse et tom-
bante. Eux se taisaient, humiliés de cette entrée de
vaincus, furieux de leur propre silence, mais de
moins en moins capables de le rompre à mesure
qu'il se prolongeait. Ils passaient, sans regarder
Ballester dont ils savaient qu'il exécutait un ordre
en les faisant entrer de cette manière, et dont l'air
amer et chagrin les renseignait sur ce qu'il pensait.
Yvars, lui, le regarda. Ballester, qui l'aimait bien,
hocha la tête sans rien dire.

Maintenant, ils étaient tous au petit vestiaire,
à droite de l'entrée : des stalles ouvertes, séparées
par des planches de bois blanc où l'on avait
accroché, de chaque côté, un petit placard fermant
à clé; la dernière stalle à partir de l'entrée, à la
rencontre des murs du hangar, avait été transformée
en cabine de douches, au-dessus d'une rigole
d'écoulement creusée à même le sol de terre battue.
Au centre du hangar, on voyait, selon les places
de travail, des bordelaises déjà terminées, mais
cerclées lâches et qui attendaient le forçage au feu,
des bancs épais creusés d'une longue fente (et pour
certains d'entre eux des fonds de bois circulaires,
attendant d'être affûtés à la varlope, y étaient
glissés), des feux noircis enfin. Le long du mur, à
gauche de l'entrée, s'alignaient les établis. Devant
eux s'entassaient les piles de douelles à raboter.

Contre le mur de droite, non loin du vestiaire, deux grandes scies mécaniques, bien huilées, fortes et silencieuses, luisaient.

Depuis longtemps, le hangar était devenu trop grand pour la poignée d'hommes qui l'occupaient. C'était un avantage pendant les grandes chaleurs, un inconvénient l'hiver. Mais aujourd'hui, dans ce grand espace, le travail planté là, les tonneaux échoués dans les coins, avec l'unique cercle qui réunissait les pieds des douelles épanouies dans le haut, comme de grossières fleurs de bois, la poussière de sciure qui recouvrait les bancs, les caisses d'outils et les machines, tout donnait à l'atelier un air d'abandon. Ils le regardaient, vêtus maintenant de leurs vieux tricots, de leurs pantalons délavés et rapiécés, et ils hésitaient. Ballester les observait. « Alors, dit-il, on y va? » Un à un, ils gagnèrent leur place sans rien dire. Ballester allait d'un poste à l'autre et rappelait brièvement le travail à commencer ou à terminer. Personne ne répondait. Bientôt, le premier marteau résonna contre le coin de bois ferré qui enfonçait un cercle sur la partie renflée d'un tonneau, une varlope gémit dans un nœud de bois, et l'une des scies, lancée par Esposito, démarra avec un grand bruit de lames froissées. Saïd, à la demande, apportait des douelles, ou allumait les feux de copeaux sur lesquels on plaçait les tonneaux pour les faire gonfler dans leur corset de lames ferrées. Quand personne ne le réclamait, il rivait aux établis, à grands coups de marteau, les larges cercles rouillés. L'odeur des copeaux

brûlés commençait de remplir le hangar. Yvars, qui
rabotait et ajustait les douelles taillées par Esposito,
reconnut le vieux parfum et son cœur se desserra
un peu. Tous travaillaient en silence, mais une
chaleur, une vie renaissaient peu à peu dans l'atelier. Par les grands vitrages, une lumière fraîche
remplissait le hangar. Les fumées bleuissaient dans
l'air doré; Yvars entendit même un insecte bour-
donner près de lui.

A ce moment, la porte qui donnait dans l'ancienne tonnellerie s'ouvrit sur le mur du fond, et
M. Lassalle, le patron, s'arrêta sur le seuil. Mince
et brun, il avait à peine dépassé la trentaine. La
chemise blanche largement ouverte sur un complet
de gabardine beige, il avait l'air à l'aise dans son
corps. Malgré son visage très osseux, taillé en lame
de couteau, il inspirait généralement la sympathie,
comme la plupart des gens que le sport a libérés
dans leurs attitudes. Il semblait pourtant un peu
embarrassé en franchissant la porte. Son bonjour
fut moins sonore que d'habitude; personne en tout
cas n'y répondit. Le bruit des marteaux hésita, se
désaccorda un peu, et reprit de plus belle. M. Lassalle fit quelques pas indécis, puis il avança vers
le petit Valery, qui travaillait avec eux depuis un
an seulement. Près de la scie mécanique, à quelques
pas d'Yvars, il plaçait un fond sur une bordelaise
et le patron le regardait faire. Valery continuait
à travailler, sans rien dire. « Alors, fils, dit M. Lassalle, ça va? » Le jeune homme devint tout d'un
coup plus maladroit dans ses gestes. Il jeta un

regard à Esposito qui, près de lui, entassait sur ses
bras énormes une pile de douelles pour les porter à
Yvars. Esposito le regardait aussi tout en continuant
son travail, et Valery repiqua le nez dans sa bordelaise sans rien répondre au patron. Lassalle, un
peu interdit, resta un court moment planté devant
le jeune homme, puis il haussa les épaules et se
retourna vers Marcou. Celui-ci, à califourchon sur
son banc, finissait d'affûter, à petits coups lents et
précis, le tranchant d'un fond. « Bonjour, Marcou »,
dit Lassalle, d'un ton plus sec. Marcou ne répondit
pas, attentif seulement à ne tirer de son bois que
de très légers copeaux. « Qu'est-ce qui vous prend,
dit Lassalle d'une voix forte et en se tournant cette
fois vers les autres ouvriers. On n'a pas été d'accord, c'est entendu. Mais ça n'empêche pas qu'on
doive travailler ensemble. Alors, à quoi ça sert? »
Marcou se leva, souleva son fond, vérifia du plat
de la main le tranchant circulaire, plissa ses yeux
langoureux avec un air de grande satisfaction et,
toujours silencieux, se dirigea vers un autre ouvrier
qui assemblait une bordelaise. Dans tout l'atelier,
on n'entendait que le bruit des marteaux et de la
scie mécanique. « Bon, dit Lassalle, quand ça vous
aura passé, vous me le ferez dire par Ballester. »
A pas tranquilles, il sortit de l'atelier.

Presque tout de suite après, au-dessus du vacarme
de l'atelier, une sonnerie retentit deux fois. Ballester, qui venait de s'asseoir pour rouler une cigarette, se leva pesamment et gagna la petite porte
du fond. Après son départ, les marteaux frap-

pèrent moins fort; l'un des ouvriers venait même de
s'arrêter quand Ballester revint. De la porte, il dit
seulement : « Le patron vous demande, Marcou
et Yvars. » Le premier mouvement d'Yvars fut
d'aller se laver les mains, mais Marcou le saisit au
passage par le bras et il le suivit en boitant.

Au-dehors, dans la cour, la lumière était si
fraîche, si liquide, qu'Yvars la sentait sur son visage
et sur ses bras nus. Ils gravirent l'escalier extérieur,
sous le chèvrefeuille où apparaissaient déjà quelques fleurs Quand ils entrèrent dans le corridor
tapissé de diplômes, ils entendirent des pleurs
d'enfant et la voix de M. Lassalle qui disait :
« Tu la coucheras après le déjeuner. On appellera
le docteur si ça ne lui passe pas. » Puis le patron
surgit dans le corridor et les fit entrer dans le petit
bureau qu'ils connaissaient déjà, meublé de faux
rustique, les murs ornés de trophées sportifs.
« Asseyez-vous », dit Lassalle en prenant place derrière son bureau. Ils restèrent debout. « Je vous
ai fait venir parce que vous êtes, vous, Marcou, le
délégué et, toi, Yvars, mon plus vieil employé après
Ballester. Je ne veux pas reprendre les discussions
qui sont maintenant finies. Je ne peux pas, absolument pas, vous donner ce que vous demandez.
L'affaire a été réglée, nous sommes arrivés à la
conclusion qu'il fallait reprendre le travail. Je vois
que vous m'en voulez et ça m'est pénible, je vous le
dis comme je le sens. Je veux simplement ajouter
ceci : ce que je ne peux pas faire aujourd'hui, je
pourrai peut-être le faire quand les affaires repren-

dront. Et si je peux le faire, je le ferai avant même que vous me le demandiez. En attendant, essayons de travailler en accord. » Il se tut, sembla réfléchir, puis leva les yeux sur eux. « Alors? » dit-il. Marcou regardait au-dehors. Yvars, les dents serrées, voulait parler, mais ne pouvait pas. « Ecoutez, dit Lassalle, vous vous êtes tous butés. Ça vous passera. Mais quand vous serez redevenus raisonnables, n'oubliez pas ce que je viens de vous dire. » Il se leva, vint vers Marcou et lui tendit la main. « Chao! » dit-il. Marcou pâlit d'un seul coup, son visage de chanteur de charme se durcit et, l'espace d'une seconde, devint méchant. Puis il tourna brusquement les talons et sortit. Lassalle, pâle aussi, regarda Yvars sans lui tendre la main. « Allez vous faire foutre », cria-t-il.

Quand ils rentrèrent dans l'atelier, les ouvriers déjeunaient. Ballester était sorti. Marcou dit seulement : « Du vent », et il regagna sa place de travail. Esposito s'arrêta de mordre dans son pain pour demander ce qu'ils avaient répondu; Yvars dit qu'ils n'avaient rien répondu. Puis, il alla chercher sa musette et revint s'asseoir sur le banc où il travaillait. Il commençait de manger lorsque, non loin de lui, il aperçut Saïd, couché sur le dos dans un tas de copeaux, le regard perdu vers les verrières, bleuies par un ciel maintenant moins lumineux. Il lui demanda s'il avait déjà fini. Saïd dit qu'il avait mangé ses figues. Yvars s'arrêta de manger. Le malaise qui ne l'avait pas quitté depuis l'entrevue avec Lassalle disparaissait soudain pour

laisser seulement place à une bonne chaleur. Il se
leva en rompant son pain et dit, devant le refus
de Saïd, que la semaine prochaine tout irait mieux.
« Tu m'inviteras à ton tour », dit-il. Saïd sourit.
Il mordait maintenant dans un morceau du sand-
wich d'Yvars, mais légèrement, comme un homme
sans faim.

Esposito prit une vieille casserole et alluma un
petit feu de copeaux et de bois. Il fit réchauffer
du café qu'il avait apporté dans une bouteille. Il dit
que c'était un cadeau pour l'atelier que son épicier
lui avait fait quand il avait appris l'échec de la grève.
Un verre à moutarde circula de main en main. A
chaque fois, Esposito versait le café déjà sucré. Saïd
l'avala avec plus de plaisir qu'il n'avait mis à
manger. Esposito buvait le reste du café à même la
casserole brûlante, avec des clappements de lèvres
et des jurons. A ce moment, Ballester entra pour
annoncer la reprise.

Pendant qu'ils se levaient et rassemblaient papiers
et vaisselles dans leurs musettes, Ballester vint se
placer au milieu d'eux et dit soudain que c'était
un coup dur pour tous, et pour lui aussi, mais que
ce n'était pas une raison pour se conduire comme
des enfants et que ça ne servait à rien de bouder.
Esposito, la casserole à la main, se tourna vers lui;
son épais et long visage avait rougi d'un coup. Yvars
savait ce qu'il allait dire, et que tous pensaient en
même temps que lui, qu'ils ne boudaient pas, qu'on
leur avait fermé la bouche, c'était à prendre ou
à laisser, et que la colère et l'impuissance font

parfois si mal qu'on ne peut même pas crier. Ils
étaient des hommes, voilà tout, et ils n'allaient
pas se mettre à faire des sourires et des mines. Mais
Esposito ne dit rien de tout cela, son visage se
détendit enfin, et il frappa doucement l'épaule de
Ballester pendant que les autres retournaient à leur
travail. De nouveau les marteaux résonnèrent, le
grand hangar s'emplit du vacarme familier, de
l'odeur des copeaux et des vieux vêtements mouillés
de sueur. La grande scie vrombissait et mordait dans
le bois frais de la douelle qu'Esposito poussait lentement devant lui. A l'endroit de la morsure, une
sciure mouillée jaillissait et recouvrait d'une sorte
de chapelure de pain les grosses mains poilues, fer-
mement serrées sur le bois, de chaque côté de la
lame rugissante. Quand la douelle était tranchée,
on n'entendait plus que le bruit du moteur.

Yvars sentait maintenant la courbature de son
dos penché sur la varlope. D'habitude, la fatigue ne
venait que plus tard. Il avait perdu son entraîne-
ment pendant ces semaines d'inaction, c'était évi-
dent. Mais il pensait aussi à l'âge qui fait plus dur
le travail des mains, quand ce travail n'est pas de
simple précision. Cette courbature lui annonçait
aussi la vieillesse. Là où les muscles jouent, le travail finit par être maudit, il précède la mort, et les
soirs de grands efforts, le sommeil justement est
comme la mort. Le garçon voulait être instituteur,
il avait raison, ceux qui faisaient des discours sur
le travail manuel ne savaient pas de quoi ils parlaient.

Quand Yvars se redressa pour reprendre
souffle et chasser aussi ces mauvaises pensées, la
sonnerie retentit à nouveau. Elle insistait, mais
d'une si curieuse manière, avec de courts arrêts et
des reprises impérieuses, que les ouvriers s'arrêtèrent. Ballester écoutait, surpris, puis se décida et
gagna lentement la porte. Il avait disparu depuis
quelques secondes quand la sonnerie cessa enfin.
Ils reprirent le travail. De nouveau, la porte s'ouvrit
brutalement, et Ballester courut vers le vestiaire. Il
en sortit, chaussé d'espadrilles, enfilant sa veste, dit
à Yvars en passant : « La petite a eu une attaque.
Je vais chercher Germain », et courut vers la grande
porte. Le docteur Germain s'occupait de l'atelier; il
habitait le faubourg. Yvars répéta la nouvelle sans
commentaires. Ils étaient autour de lui et se regardaient, embarrassés. On n'entendait plus que le
moteur de la scie mécanique qui roulait librement.
« Ce n'est peut-être rien », dit l'un d'eux. Ils rega-
gnèrent leur place, l'atelier se remplit de nouveau
de leurs bruits, mais ils travaillaient lentement,
comme s'ils attendaient quelque chose.

Au bout d'un quart d'heure, Ballester entra de
nouveau, déposa sa veste et, sans dire un mot,
ressortit par la petite porte. Sur les verrières, la
lumière fléchissait. Un peu après, dans les intervalles où la scie ne mordait pas le bois, on entendit
le timbre mat d'une ambulance, d'abord lointaine,
puis proche, et présente, maintenant silencieuse.
Au bout d'un moment, Ballester revint et tous
avancèrent vers lui. Esposito avait coupé le

moteur. Ballester dit qu'en se déshabillant dans sa chambre, l'enfant était tombée d'un coup, comme si on l'avait fauchée. « Ça, alors! » dit Marcou. Ballester hocha la tête et eut un geste vague vers l'atelier; mais il avait l'air bouleversé. On entendit à nouveau le timbre de l'ambulance. Ils étaient tous là, dans l'atelier silencieux, sous les flots de lumière jaune déversés par les verrières, avec leurs rudes mains inutiles qui pendaient le long des vieux pantalons couverts de sciure.

Le reste de l'après-midi se traîna. Yvars ne sentait plus que sa fatigue et son cœur toujours serré. Il aurait voulu parler. Mais il n'avait rien à dire et les autres non plus. Sur leurs visages taciturnes se lisaient seulement le chagrin et une sorte d'obstination. Parfois, en lui, le mot malheur se formait, mais à peine, et il disparaissait aussitôt comme une bulle naît et éclate en même temps. Il avait envie de rentrer chez lui, de retrouver Fernande, le garçon, et la terrasse aussi. Justement, Ballester annonçait la clôture. Les machines s'arrêtèrent. Sans se presser, ils commencèrent d'éteindre les feux et de ranger leur place, puis ils gagnèrent un à un le vestiaire. Saïd resta le dernier, il devait nettoyer les lieux de travail, et arroser le sol poussiéreux. Quand Yvars arriva au vestiaire, Esposito, énorme et velu, était déjà sous la douche. Il leur tournait le dos, tout en se savonnant à grand bruit. D'habitude, on le plaisantait sur sa pudeur; ce grand ours, en effet, dissimulait obstinément ses parties nobles. Mais personne ne parut s'en apercevoir ce jour-là. Esposito sortit à reculons et enroula autour de ses hanches une serviette en forme de pagne. Les autres prirent leur tour et Marcou claquait vigoureusement ses flancs nus quand on entendit la grande porte rouler lentement sur sa roue de fonte. Lassalle entra.

Il était habillé comme lors de sa première visite, mais ses cheveux étaient un peu dépeignés. Il s'arrêta sur le seuil, contempla le vaste atelier déserté, fit quelques pas, s'arrêta encore et regarda vers le vestiaire. Esposito, toujours couvert de son pagne, se tourna vers lui. Nu, embarrassé, il se balançait un peu d'un pied sur l'autre. Yvars pensa que c'était à Marcou de dire quelque chose. Mais Marcou se tenait invisible, derrière la pluie d'eau qui l'entourait. Esposito se saisit d'une chemise, et il la passa prestement quand Lassalle dit : « Bonsoir », d'une voix un peu détimbrée, et se mit à marcher vers la petite porte. Quand Yvars pensa qu'il fallait l'appeler, la porte se refermait déjà.

Yvars se rhabilla alors sans se laver, dit bonsoir lui aussi, mais avec tout son cœur, et ils lui répondirent avec la même chaleur. Il sortit rapidement, retrouva sa bicyclette et, quand il l'enfourcha, sa courbature. Il roulait maintenant dans l'après-midi finissant, à travers la ville encombrée. Il allait vite, il voulait retrouver la vieille maison et la terrasse. Il se laverait dans la buanderie avant de s'asseoir et de regarder la mer qui l'accompagnait déjà, plus foncée que le matin, au-dessus des rampes du boulevard. Mais la petite fille aussi l'accompagnait et il ne pouvait s'empêcher de penser à elle.

A la maison, le garçon était revenu de l'école et lisait des illustrés. Fernande demanda à Yvars si tout s'était bien passé. Il ne dit rien, se lava dans la buanderie, puis s'assit sur le banc, contre le petit mur de la terrasse. Du linge reprisé pendait au-dessus de lui, le ciel devenait transparent; par-delà le mur, on pouvait voir la mer douce du soir. Fernande apporta l'anisette, deux verres, la gargoulette d'eau fraîche. Elle prit place près de son mari. Il lui raconta tout, en lui tenant la main, comme aux premiers temps de leur mariage. Quand il eut fini, il resta immobile, tourné vers la mer où courait déjà, d'un bout à l'autre de l'horizon, le rapide crépuscule. « Ah! c'est de sa faute! » dit-il. Il aurait voulu être jeune, et que Fernande le fût encore, et ils seraient partis, de l'autre côté de la mer.

ALLEGORY — STRIKE STANDS FOR
THINGS MAN (INDIVIDUAL OR GROUPED) CANNOT
DO
1) HE CANNOT BE YOUNG
2) YVAR REALIZES HIS JOB + LIFE ARE USELESS

L'HÔTE

L'INSTITUTEUR regardait les deux hommes monter vers lui. L'un était à cheval, l'autre à pied. Ils n'avaient pas encore entamé le raidillon abrupt qui menait à l'école, bâtie au flanc d'une colline. Ils peinaient, progressant lentement dans la neige, entre les pierres, sur l'immense étendue du haut plateau désert. De temps en temps, le cheval bronchait visiblement. On ne l'entendait pas encore, mais on voyait le jet de vapeur qui sortait alors de ses naseaux. L'un des hommes, au moins, connaissait le pays. Ils suivaient la piste qui avait pourtant disparu depuis plusieurs jours sous une couche blanche et sale. L'instituteur calcula qu'ils ne seraient pas sur la colline avant une demi-heure. Il faisait froid; il rentra dans l'école pour chercher un chandail.

Il traversa la salle de classe vide et glacée. Sur le tableau noir les quatre fleuves de France, dessinés avec quatre craies de couleurs différentes, coulaient vers leur estuaire depuis trois jours. La neige était

tombée brutalement à la mi-octobre, après huit
mois de sécheresse, sans que la pluie eût apporté
une transition et la vingtaine d'élèves qui habitaient
dans les villages disséminés sur le plateau ne
venaient plus. Il fallait attendre le beau temps.
Daru ne chauffait plus que l'unique pièce qui
constituait son logement, attenant à la classe, et
ouvrant aussi sur le plateau à l'est. Une fenêtre
donnait encore, comme celles de la classe, sur le
midi. De ce côté, l'école se trouvait à quelques
kilomètres de l'endroit où le plateau commençait
à descendre vers le sud. Par temps clair, on pouvait
apercevoir les masses violettes du contrefort mon-
tagneux où s'ouvrait la porte du désert.

Un peu réchauffé, Daru retourna à la fenêtre
d'où il avait, pour la première fois, aperçu les
deux hommes. On ne les voyait plus. Ils avaient
donc attaqué le raidillon. Le ciel était moins
foncé : dans la nuit, la neige avait cessé de tomber.
Le matin s'était levé sur une lumière sale qui s'était
à peine renforcée à mesure que le plafond de
nuages remontait. A deux heures de l'après-midi,
on eût dit que la journée commençait seulement.
Mais cela valait mieux que ces trois jours où
l'épaisse neige tombait au milieu des ténèbres in-
cessantes, avec de petites sautes de vent qui venaient
secouer la double porte de la classe. Daru patien-
tait alors de longues heures dans sa chambre dont
il ne sortait que pour aller sous l'appentis, soigner les
poules et puiser dans la provision de charbon. Heureusement, la camionnette de Tadjid, le village le

plus proche au nord, avait apporté le ravitaille-
ment deux jours avant la tourmente. Elle reviendrait dans quarante-huit heures.

Il avait d'ailleurs de quoi soutenir un siège,
avec les sacs de blé qui encombraient la petite
chambre et que l'administration lui laissait en
réserve pour distribuer à ceux de ses élèves dont
les familles avaient été victimes de la sécheresse.
En réalité, le malheur les avait tous atteints puisque
tous étaient pauvres. Chaque jour, Daru distribuait
une ration aux petits. Elle leur avait manqué, il
le savait bien, pendant ces mauvais jours. Peut-
être un des pères ou des grands frères viendrait ce
soir et il pourrait les ravitailler en grains. Il fallait
faire la soudure avec la prochaine récolte, voilà
tout. Des navires de blé arrivaient maintenant de
France, le plus dur était passé. Mais il serait difficile
d'oublier cette misère, cette armée de fantômes
haillonneux errant dans le soleil, les plateaux cal-
cinés mois après mois, la terre recroquevillée peu
à peu, littéralement torréfiée, chaque pierre éclatant en poussière sous le pied. Les moutons mouraient alors par milliers et quelques hommes, çà et
là, sans qu'on puisse toujours le savoir.

Devant cette misère, lui qui vivait presque en
moine dans cette école perdue, content d'ailleurs
du peu qu'il avait, et de cette vie rude, s'était senti
un seigneur, avec ses murs crépis, son divan étroit,
ses étagères de bois blanc, son puits, et son ravitail-
lement hebdomadaire en eau et en nourriture. Et,
tout d'un coup, cette neige, sans avertissement, sans

la détente de la pluie. Le pays était ainsi, cruel à
vivre, même sans les hommes, qui, pourtant, n'arran-
geaient rien. Mais Daru y était né. Partout ailleurs,
il se sentait exilé.

Il sortit et s'avança sur le terre-plein devant
l'école. Les deux hommes étaient maintenant à
mi-pente. Il reconnut dans le cavalier, Balducci, le
vieux gendarme qu'il connaissait depuis longtemps.
Balducci tenait au bout d'une corde un Arabe qui
avançait derrière lui, les mains liées, le front baissé.
Le gendarme fit un geste de salutation auquel Daru
ne répondit pas, tout entier occupé à regarder
l'Arabe vêtu d'une djellabah autrefois bleue, les
pieds dans des sandales, mais couverts de chaussettes
en grosse laine grège, la tête coiffée d'un chèche
étroit et court. Ils approchaient. Balducci maintenait sa bête au pas pour ne pas blesser l'Arabe et le
groupe avançait lentement.

A portée de voix, Balducci cria : « Une heure
pour faire les trois kilomètres d'El Ameur ici! »
Daru ne répondit pas. Court et carré dans son
chandail épais, il les regardait monter. Pas une
seule fois, l'Arabe n'avait levé la tête. « Salut, dit
Daru, quand ils débouchèrent sur le terre-plein.
Entrez vous réchauffer. » Balducci descendit péni-
blement de sa bête, sans lâcher la corde. Il sourit
à l'instituteur sous ses moustaches hérissées. Ses
petits yeux sombres, très enfoncés sous le front
basané, et sa bouche entourée de rides, lui donnaient un air attentif et appliqué. Daru prit la
bride, conduisit la bête vers l'appentis, et revint

vers les deux hommes qui l'attendaient maintenant dans l'école. Il les fit pénétrer dans sa chambre.
« Je vais chauffer la salle de classe, dit-il. Nous y
serons plus à l'aise. » Quand il entra de nouveau
dans la chambre, Balducci était sur le divan. Il
avait dénoué la corde qui le liait à l'Arabe et celui-
ci s'était accroupi près du poêle. Les mains toujours
liées, le chèche maintenant poussé en arrière, il
regardait vers la fenêtre. Daru ne vit d'abord que
ses énormes lèvres, pleines, lisses, presque négroïdes;
le nez cependant était droit, les yeux sombres, pleins
de fièvre. Le chèche découvrait un front buté et,
sous la peau recuite mais un peu décolorée par le
froid, tout le visage avait un air à la fois inquiet
et rebelle qui frappa Daru quand l'Arabe, tournant
son visage vers lui, le regarda droit dans les yeux.
« Passez à côté, dit l'instituteur, je vais vous faire
du thé à la menthe. — Merci, dit Balducci. Quelle
corvée! Vivement la retraite. » Et s'adressant en
arabe à son prisonnier : « Viens, toi. » L'Arabe se
leva et, lentement, tenant ses poignets joints devant
lui, passa dans l'école.

Avec le thé, Daru apporta une chaise. Mais Balducci trônait déjà sur la première table d'élève et
l'Arabe s'était accroupi contre l'estrade du maître,
face au poêle qui se trouvait entre le bureau et
la fenêtre. Quand il tendit le verre de thé au prisonnier, Daru hésita devant ses mains liées. « On
peut le délier, peut-être. — Sûr, dit Balducci. C'était
pour le voyage. » Il fit mine de se lever. Mais Daru,
posant le verre sur le sol, s'était agenouillé près de

l'Arabe. Celui-ci, sans rien dire, le regardait faire de ses yeux fiévreux. Les mains libres, il frotta l'un contre l'autre ses poignets gonflés, prit le verre de thé et aspira le liquide brûlant, à petites gorgées rapides.

« Bon, dit Daru. Et comme ça, où allez-vous? »

Balducci retira sa moustache du thé : « Ici, fils.

— Drôles d'élèves! Vous couchez ici?

— Non. Je vais retourner à El Ameur. Et toi, tu livreras le camarade à Tinguit. On l'attend à la commune mixte. »

Balducci regardait Daru avec un petit sourire d'amitié.

« Qu'est-ce que tu racontes, dit l'instituteur. Tu te fous de moi?

— Non, fils. Ce sont les ordres.

— Les ordres? Je ne suis pas... » Daru hésita; il ne voulait pas peiner le vieux Corse. « Enfin, ce n'est pas mon métier.

— Eh! Qu'est-ce que ça veut dire? A la guerre, on fait tous les métiers.

— Alors, j'attendrai la déclaration de guerre! »

Balducci approuva de la tête.

« Bon. Mais les ordres sont là et ils te concernent aussi. Ça bouge, paraît-il. On parle de révolte prochaine. Nous sommes mobilisés, dans un sens. »

Daru gardait son air buté.

« Ecoute, fils, dit Balducci. Je t'aime bien, il faut comprendre. Nous sommes une douzaine à El Ameur pour patrouiller dans le territoire d'un petit département et je dois rentrer. On m'a dit de te confier ce zèbre et de rentrer sans tarder. On ne pouvait pas le garder là-bas. Son village s'agitait, ils voulaient le reprendre. Tu dois le mener à Tinguit dans la journée de demain. Ce n'est pas une vingtaine de kilomètres qui font peur à un costaud comme toi. Après, ce sera fini. Tu retrouveras tes élèves et la bonne vie. »

Derrière le mur, on entendit le cheval s'ébrouer et frapper du sabot. Daru regardait par la fenêtre. Le temps se levait décidément, la lumière s'élargissait sur le plateau neigeux. Quand toute la neige serait fondue, le soleil régnerait de nouveau et brûlerait une fois de plus les champs de pierre. Pendant des jours, encore, le ciel inaltérable déverserait sa lumière sèche sur l'étendue solitaire où rien ne rappelait l'homme.

« Enfin, dit-il en se retournant vers Balducci, qu'est-ce qu'il a fait? » Et il demanda, avant que le gendarme ait ouvert la bouche : « Il parle français?

— Non, pas un mot. On le recherchait depuis un mois, mais ils le cachaient. Il a tué son cousin.

— Il est contre nous?

— Je ne crois pas. Mais on ne peut jamais savoir.

— Pourquoi a-t-il tué?

— Des affaires de famille, je crois. L'un devait du grain à l'autre, paraît-il. Ça n'est pas clair. Enfin, bref, il a tué le cousin d'un coup de serpe. Tu sais, comme au mouton, zic!... »

Balducci fit le geste de passer une lame sur sa gorge et l'Arabe, son attention attirée, le regardait avec une sorte d'inquiétude. Une colère subite vint à Daru contre cet homme, contre tous les hommes et leur sale méchanceté, leurs haines inlassables, leur folie du sang.

Mais la bouilloire chantait sur le poêle. Il resservit du thé à Balducci, hésita, puis servit à nouveau l'Arabe qui, une seconde fois, but avec avidité. Ses bras soulevés entrebâillaient maintenant la djellabah et l'instituteur aperçut sa poitrine maigre et musclée.

« Merci, petit, dit Balducci. Et maintenant, je file. »

Il se leva et se dirigea vers l'Arabe, en tirant une cordelette de sa poche.

« Qu'est-ce que tu fais? » demanda sèchement Daru.

Balducci, interdit, lui montra la corde.

« Ce n'est pas la peine. »

Le vieux gendarme hésita :

« Comme tu voudras. Naturellement, tu es armé?

— J'ai mon fusil de chasse.

— Où?

— Dans la malle.

— Tu devrais l'avoir près de ton lit.

— Pourquoi? Je n'ai rien à craindre.

— Tu es sonné, fils. S'ils se soulèvent, personne n'est à l'abri, nous sommes tous dans le même sac.

— Je me défendrai. J'ai le temps de les voir arriver. »

Balducci se mit à rire, puis la moustache vint soudain recouvrir les dents encore blanches.

« Tu as le temps? Bon. C'est ce que je disais.
Tu as toujours été un peu fêlé. C'est pour ça que
je t'aime bien, mon fils était comme ça. »

Il tirait en même temps son revolver et le posait
sur le bureau.

« Garde-le, je n'ai pas besoin de deux armes d'ici
El Ameur. »

Le revolver brillait sur la peinture noire de la
table. Quand le gendarme se retourna vers lui,
l'instituteur sentit son odeur de cuir et de cheval.

« Ecoute, Balducci, dit Daru soudainement, tout
ça me dégoûte, et ton gars le premier. Mais je ne
le livrerai pas. Me battre, oui, s'il le faut. Mais pas
ça. »

Le vieux gendarme se tenait devant lui et le
regardait avec sévérité.

« Tu fais des bêtises, dit-il lentement. Moi non
plus, je n'aime pas ça. Mettre une corde à un
homme, malgré les années, on ne s'y habitue pas
et même, oui, on a honte. Mais on ne peut pas
les laisser faire.

— Je ne le livrerai pas, répéta Daru.

— C'est un ordre, fils. Je te le répète.

— C'est ça. Répète-leur ce que je t'ai dit : je
ne le livrerai pas. »

Balducci faisait un visible effort de réflexion. Il
regardait l'Arabe et Daru. Il se décida enfin.

« Non. Je ne leur dirai rien. Si tu veux nous
lâcher, à ton aise, je ne te dénoncerai pas. J'ai
l'ordre de livrer le prisonnier : je le fais. Tu vas
maintenant me signer le papier.

— C'est inutile. Je ne nierai pas que tu me l'as laissé.

— Ne sois pas méchant avec moi. Je sais que tu diras la vérité. Tu es d'ici, tu es un homme. Mais tu dois signer, c'est la règle. »

Daru ouvrit son tiroir, tira une petite bouteille carrée d'encre violette, le porte-plume de bois rouge avec la plume *sergent-major* qui lui servait à tracer les modèles d'écriture et il signa. Le gendarme plia soigneusement le papier et le mit dans son portefeuille. Puis il se dirigea vers la porte.

« Je vais t'accompagner, dit Daru.

— Non, dit Balducci. Ce n'est pas la peine d'être poli. Tu m'as fait un affront. »

Il regarda l'Arabe, immobile, à la même place, renifla d'un air chagrin et se détourna vers la porte : « Adieu, fils », dit-il. La porte battit derrière lui. Balducci surgit devant la fenêtre puis disparut. Ses pas étaient étouffés par la neige. Le cheval s'agita derrière la cloison, des poules s'effarèrent. Un moment après, Balducci repassa devant la fenêtre tirant le cheval par la bride. Il avançait vers le raidillon sans se retourner, disparut le premier et le cheval le suivit. On entendit une grosse pierre rouler mollement. Daru revint vers le prisonnier qui n'avait pas bougé, mais ne le quittait pas des yeux. « Attends », dit l'instituteur en arabe, et il se dirigea vers la chambre. Au moment de passer le seuil, il se ravisa, alla au bureau, prit le revolver et le fourra dans sa poche. Puis, sans se retourner, il entra dans sa chambre.

Longtemps, il resta étendu sur son divan à regarder le ciel se fermer peu à peu, à écouter le
silence. C'était ce silence qui lui avait paru pénible les premiers jours de son arrivée, après la
guerre. Il avait demandé un poste dans la petite
ville au pied des contreforts qui séparent du désert
les hauts plateaux. Là, des murailles rocheuses,
vertes et noires au nord, roses ou mauves au sud,
marquaient la frontière de l'éternel été. On l'avait
nommé à un poste plus au nord, sur le plateau
même. Au début, la solitude et le silence lui
avaient été durs sur ces terres ingrates, habitées
seulement par des pierres. Parfois, des sillons faisaient croire à des cultures, mais ils avaient été
creusés pour mettre au jour une certaine pierre,
propice à la construction. On ne labourait ici que
pour récolter des cailloux. D'autres fois, on grat-
tait quelques copeaux de terre, accumulée dans
des creux, dont on engraisserait les maigres jardins
des villages. C'était ainsi, le caillou seul couvrait
les trois quarts de ce pays. Les villes y naissaient,
brillaient, puis disparaissaient; les hommes y passaient, s'aimaient ou se mordaient à la gorge, puis
mouraient. Dans ce désert, personne, ni lui ni son
hôte n'étaient rien. Et pourtant, hors de ce désert,
ni l'un ni l'autre, Daru le savait, n'auraient pu
vivre vraiment.

Quand il se leva, aucun bruit ne venait de la
salle de classe. Il s'étonna de cette joie franche
qui lui venait à la seule pensée que l'Arabe avait
pu fuir et qu'il allait se retrouver seul sans avoir

rien à décider. Mais le prisonnier était là. Il s'était seulement couché de tout son long entre le poêle et le bureau. Les yeux ouverts, il regardait le plafond. Dans cette position, on voyait surtout ses lèvres épaisses qui lui donnaient un air boudeur. « Viens », dit Daru. L'Arabe se leva et le suivit. Dans la chambre, l'instituteur lui montra une chaise près de la table, sous la fenêtre. L'Arabe prit place sans cesser de regarder Daru.

« Tu as faim?

— Oui », dit le prisonnier.

Daru installa deux couverts. Il prit de la farine et de l'huile, pétrit dans un plat une galette et alluma le petit fourneau à butagaz. Pendant que la galette cuisait, il sortit pour ramener de l'appentis du fromage, des œufs, des dattes et du lait condensé. Quand la galette fut cuite, il la mit à refroidir sur le rebord de la fenêtre, fit chauffer du lait condensé étendu d'eau et, pour finir, battit les œufs en omelette. Dans un de ses mouvements, il heurta le revolver enfoncé dans sa poche droite. Il posa le bol, passa dans la salle de classe et mit le revolver dans le tiroir de son bureau. Quand il revint dans la chambre, la nuit tombait. Il donna de la lumière et servit l'Arabe : « Mange », dit-il. L'autre prit un morceau de galette, le porta vivement à sa bouche et s'arrêta.

« Et toi? dit-il.

— Après toi. Je mangerai aussi. »

Les grosses lèvres s'ouvrirent un peu, l'Arabe

hésita, puis il mordit résolument dans la galette.

Le repas fini, l'Arabe regardait l'instituteur.

« C'est toi le juge?

— Non, je te garde jusqu'à demain.

— Pourquoi tu manges avec moi?

— J'ai faim. »

L'autre se tut. Daru se leva et sortit. Il ramena un lit de camp de l'appentis, l'étendit entre la table et le poêle, perpendiculairement à son propre lit. D'une grande valise qui, debout dans un coin, servait d'étagère à dossiers, il tira deux couvertures qu'il disposa sur le lit de camp. Puis il s'arrêta, se sentit oisif, s'assit sur son lit. Il n'y avait plus rien à faire ni à préparer. Il fallait regarder cet homme. Il le regardait donc, essayant d'imaginer ce visage emporté de fureur. Il n'y parvenait pas. Il voyait seulement le regard à la fois sombre et brillant, et la bouche animale.

« Pourquoi tu l'as tué? » dit-il d'une voix dont l'hostilité le surprit.

L'Arabe détourna son regard.

« Il s'est sauvé. J'ai couru derrière lui. »

Il releva les yeux sur Daru et ils étaient pleins d'une sorte d'interrogation malheureuse.

« Maintenant, qu'est-ce qu'on va me faire?

— Tu as peur? »

L'autre se raidit, en détournant les yeux.

« Tu regrettes? »

L'Arabe le regarda, bouche ouverte. Visible-ment, il ne comprenait pas. L'irritation gagnait Daru. En même temps, il se sentait gauche et emprunté dans son gros corps, coincé entre les deux lits.

« Couche-toi là, dit-il avec impatience. C'est ton lit. »

L'Arabe ne bougeait pas. Il appela Daru :

« Dis! »

L'instituteur le regarda.

« Le gendarme revient demain?

— Je ne sais pas.

— Tu viens avec nous?

— Je ne sais pas. Pourquoi? »

Le prisonnier se leva et s'étendit à même les couvertures, les pieds vers la fenêtre. La lumière de l'ampoule électrique lui tombait droit dans les yeux qu'il ferma aussitôt.

« Pourquoi? » répéta Daru, planté devant le lit.

L'Arabe ouvrit les yeux sous la lumière aveuglante et le regarda en s'efforçant de ne pas battre les paupières.

« Viens avec nous », dit-il.

Au milieu de la nuit, Daru ne dormait toujours pas. Il s'était mis au lit après s'être complètement déshabillé : il couchait nu habituellement. Mais quand il se trouva sans vêtements dans la chambre, il hésita. Il se sentait vulnérable, la tentation lui vint de se rhabiller. Puis il haussa les épaules; il en avait vu d'autres et, s'il le fallait, il casserait en deux son adversaire. De son lit, il pouvait l'observer, étendu sur le dos, toujours immobile et

les yeux fermés sous la lumière violente. Quand
Daru éteignit, les ténèbres semblèrent se congeler
d'un coup. Peu à peu, la nuit redevint vivante
dans la fenêtre où le ciel sans étoiles remuait doucement. L'instituteur distingua bientôt le corps
étendu devant lui. L'Arabe ne bougeait toujours
pas, mais ses yeux semblaient ouverts. Un léger
vent rôdait autour de l'école. Il chasserait peut-
être les nuages et le soleil reviendrait.

Dans la nuit, le vent grandit. Les poules s'agi-
tèrent un peu, puis se turent. L'Arabe se retourna
sur le côté, présentant le dos à Daru et celui-ci crut
l'entendre gémir. Il guetta ensuite sa respiration,
devenue plus forte et plus régulière. Il écoutait
ce souffle si proche et rêvait sans pouvoir s'endormir. Dans la chambre où, depuis un an, il dormait
seul, cette présence le gênait. Mais elle le gênait
aussi parce qu'elle lui imposait une sorte de fra-
ternité qu'il refusait dans les circonstances pré-
sentes et qu'il connaissait bien : les hommes, qui
partagent les mêmes chambres, soldats ou prisonniers, contractent un lien étrange comme si, leurs
armures quittées avec les vêtements, ils se rejoignaient chaque soir, par-dessus leurs différences,
dans la vieille communauté du songe et de la
fatigue. Mais Daru se secouait, il n'aimait pas ces
bêtises, il fallait dormir.

Un peu plus tard pourtant, quand l'Arabe bougea imperceptiblement, l'instituteur ne dormait
toujours pas. Au deuxième mouvement du prisonnier, il se raidit, en alerte. L'Arabe se soulevait

lentement sur les bras, d'un mouvement presque
somnambulique. Assis sur le lit, il attendit, immobile, sans tourner la tête vers Daru, comme s'il
écoutait de toute son attention. Daru ne bougea
pas : il venait de penser que le revolver était resté
dans le tiroir de son bureau. Il valait mieux agir
tout de suite. Il continua cependant d'observer le
prisonnier qui, du même mouvement huilé, posait
ses pieds sur le sol, attendait encore, puis commençait à se dresser lentement. Daru allait l'interpeller
quand l'Arabe se mit en marche, d'une allure
naturelle cette fois, mais extraordinairement silencieuse. Il allait vers la porte du fond qui donnait
sur l'appentis. Il fit jouer le loquet avec précaution et sortit en repoussant la porte derrière lui,
sans la refermer. Daru n'avait pas bougé : « Il
fuit, pensait-il seulement. Bon débarras! » Il tendit
pourtant l'oreille. Les poules ne bougeaient pas :
l'autre était donc sur le plateau. Un faible bruit
d'eau lui parvint alors dont il ne comprit ce qu'il
était qu'au moment où l'Arabe s'encastra de nouveau dans la porte, la referma avec soin, et vint
se recoucher sans un bruit. Alors Daru lui tourna
le dos et s'endormit. Plus tard encore, il lui sembla
entendre, du fond de son sommeil, des pas furtifs
autour de l'école. « Je rêve, je rêve! » se répétait-il.
Et il dormait.

Quand il se réveilla, le ciel était découvert; par
la fenêtre mal jointe entrait un air froid et pur.
L'Arabe dormait, recroquevillé maintenant sous les
couvertures, la bouche ouverte, totalement aban-

donné. Mais quand Daru le secoua, il eut un sursaut
terrible, regardant Daru sans le reconnaître avec
des yeux fous et une expression si apeurée que
l'instituteur fit un pas en arrière. « N'aie pas
peur. C'est moi. Il faut manger. » L'Arabe secoua
la tête et dit oui. Le calme était revenu sur son
visage, mais son expression restait absente et dis-
traite.

Le café était prêt. Ils le burent, assis tous deux
sur le lit de camp, en mordant leurs morceaux de
galette. Puis Daru mena l'Arabe sous l'appentis
et lui montra le robinet où il faisait sa toilette. Il
rentra dans la chambre, plia les couvertures et le
lit de camp, fit son propre lit et mit la pièce en
ordre. Il sortit alors sur le terre-plein en passant
par l'école. Le soleil montait déjà dans le ciel
bleu; une lumière tendre et vive inondait le plateau désert. Sur le raidillon, la neige fondait par
endroits. Les pierres allaient apparaître de nouveau. Accroupi au bord du plateau, l'instituteur
contemplait l'étendue déserte. Il pensait à Balducci. Il lui avait fait de la peine, il l'avait ren-
voyé, d'une certaine manière, comme s'il ne voulait
pas être dans le même sac. Il entendait encore
l'adieu du gendarme et, sans savoir pourquoi, il
se sentait étrangement vide et vulnérable. A ce
moment, de l'autre côté de l'école, le prisonnier
toussa. Daru l'écouta, presque malgré lui, puis,
furieux, jeta un caillou qui siffla dans l'air avant
de s'enfoncer dans la neige. Le crime imbécile
de cet homme le révoltait, mais le livrer était

contraire à l'honneur : d'y penser seulement le rendait fou d'humiliation. Et il maudissait à la fois les siens qui lui envoyaient cet Arabe et celui-ci qui avait osé tuer et n'avait pas su s'enfuir. Daru se leva, tourna en rond sur le terre-plein, attendit, immobile, puis entra dans l'école.

L'Arabe, penché sur le sol cimenté de l'appentis, se lavait les dents avec deux doigts. Daru le regarda, puis : « Viens », dit-il. Il rentra dans la chambre, devant le prisonnier. Il enfila une veste de chasse sur son chandail et chaussa ses souliers de marche. Il attendit debout que l'Arabe eût remis son chèche et ses sandales. Ils passèrent dans l'école et l'instituteur montra la sortie à son compagnon. « Va », dit-il. L'autre ne bougea pas. « Je viens », dit Daru. L'Arabe sortit. Daru rentra dans la chambre et fit un paquet avec des biscottes, des dattes et du sucre. Dans la salle de classe, avant de sortir, il hésita une seconde devant son bureau, puis il franchit le seuil de l'école et boucla la porte. « C'est par là », dit-il. Il prit la direction de l'est, suivi par le prisonnier. Mais, à une faible distance de l'école, il lui sembla entendre un léger bruit derrière lui. Il revint sur ses pas, inspecta les alentours de la maison : il n'y avait personne. L'Arabe le regardait faire, sans paraître comprendre. « Allons », dit Daru.

Ils marchèrent une heure et se reposèrent auprès d'une sorte d'aiguille calcaire. La neige fondait de plus en plus vite, le soleil pompait aussitôt les flaques, nettoyait à toute allure le plateau qui, peu

à peu, devenait sec et vibrait comme l'air lui-même.
Quand ils reprirent la route, le sol résonnait sous
leurs pas. De loin en loin, un oiseau fendait l'espace
devant eux avec un cri joyeux. Daru buvait, à
profondes aspirations, la lumière fraîche. Une sorte
d'exaltation naissait en lui devant le grand espace
familier, presque entièrement jaune maintenant,
sous sa calotte de ciel bleu. Ils marchèrent encore
une heure, en descendant vers le sud. Ils arrivèrent
à une sorte d'éminence aplatie, faite de rochers
friables. A partir de là, le plateau dévalait, à
l'est, vers une plaine basse où l'on pouvait distinguer quelques arbres maigres et, au sud, vers des
amas rocheux qui donnaient au paysage un aspect
tourmenté.

Daru inspecta les deux directions. Il n'y avait
que le ciel à l'horizon, pas un homme ne se montrait. Il se tourna vers l'Arabe, qui le regardait
sans comprendre. Daru lui tendit un paquet :
« Prends, dit-il. Ce sont des dattes, du pain, du
sucre. Tu peux tenir deux jours. Voilà mille francs
aussi. » L'Arabe prit le paquet et l'argent, mais il
gardait ses mains pleines à hauteur de la poitrine,
comme s'il ne savait que faire de ce qu'on lui
donnait. « Regarde maintenant, dit l'instituteur,
et il lui montrait la direction de l'est, voilà la
route de Tinguit. Tu as deux heures de marche.
A Tinguit, il y a l'administration et la police. Ils
t'attendent. » L'Arabe regardait vers l'est, retenant
toujours contre lui le paquet et l'argent. Daru lui
prit le bras et lui fit faire, sans douceur, un quart

de tour vers le sud. Au pied de la hauteur où ils se trouvaient, on devinait un chemin à peine dessiné. « Ça, c'est la piste qui traverse le plateau. A un jour de marche d'ici, tu trouveras les pâturages et les premiers nomades. Ils t'accueilleront et t'abriteront, selon leur loi. » L'Arabe s'était retourné maintenant vers Daru et une sorte de panique se levait sur son visage : « Ecoute », dit-il. Daru secoua la tête : « Non, tais-toi. Maintenant, je te laisse. » Il lui tourna le dos, fit deux grands pas dans la direction de l'école, regarda d'un air indécis l'Arabe immobile et repartit. Pendant quelques minutes, il n'entendit plus que son propre pas, sonore sur la terre froide, et il ne détourna pas la tête. Au bout d'un moment, pourtant, il se retourna. L'Arabe était toujours là, au bord de la colline, les bras pendants maintenant, et il regardait l'instituteur. Daru sentit sa gorge se nouer. Mais il jura d'impatience, fit un grand signe, et repartit. Il était déjà loin quand il s'arrêta de nouveau et regarda. Il n'y avait plus personne sur la colline.

Daru hésita. Le soleil était maintenant assez haut dans le ciel et commençait à lui dévorer le front. L'instituteur revint sur ses pas, d'abord un peu incertain, puis avec décision. Quand il parvint à la petite colline, il ruisselait de sueur. Il la gravit à toute allure et s'arrêta, essoufflé, sur le sommet. Les champs de roche, au sud, se dessinaient nettement sur le ciel bleu, mais sur la plaine, à l'est, une buée de chaleur montait déjà.

Et dans cette brume légère, Daru, le cœur serré, découvrit l'Arabe qui cheminait lentement sur la route de la prison.

Un peu plus tard, planté devant la fenêtre de la salle de classe, l'instituteur regardait sans la voir la jeune lumière bondir des hauteurs du ciel sur toute la surface du plateau. Derrière lui, sur le tableau noir, entre les méandres des fleuves français s'étalait, tracée à la craie par une main malhabile, l'inscription qu'il venait de lire : « Tu as livré notre frère. Tu paieras. » Daru regardait le ciel, le plateau et, au-delà, les terres invisibles qui s'étendaient jusqu'à la mer. Dans ce vaste pays qu'il avait tant aimé, il était seul.

JONAS
OU
L'ARTISTE AU TRAVAIL

> Jetez-moi dans la mer... car
> je sais que c'est moi qui attire
> sur vous cette grande tempête.
>
> JONAS, I, 12.

GILBERT JONAS, artiste peintre, croyait en son
étoile. Il ne croyait d'ailleurs qu'en elle, bien qu'il
se sentît du respect, et même une sorte d'admiration, devant la religion des autres. Sa propre foi,
pourtant, n'était pas sans vertus, puisqu'elle consis-
tait à admettre, de façon obscure, qu'il obtiendrait
beaucoup sans jamais rien mériter. Aussi, lorsque,
aux environs de sa trente-cinquième année, une
dizaine de critiques se disputèrent soudain la
gloire d'avoir découvert son talent, il n'en montra
point de surprise. Mais sa sérénité, attribuée par
certains à la suffisance, s'expliquait très bien,
au contraire, par une confiante modestie. Jonas
rendait justice à son étoile plutôt qu'à ses mérites.

Il se montra un peu plus étonné lorsqu'un marchand de tableaux lui proposa une mensualité qui

le délivrait de tout souci. En vain, l'architecte
Rateau, qui depuis le lycée aimait Jonas et son
étoile, lui représenta-t-il que cette mensualité lui
donnerait une vie à peine décente et que le marchand n'y perdrait rien. « Tout de même », disait
Jonas. Rateau, qui réussissait, mais à la force du
poignet, dans tout ce qu'il entreprenait, gour-
mandait son ami. « Quoi, tout de même? Il faut
discuter. » Rien n'y fit. Jonas en lui-même remerciait son étoile. « Ce sera comme vous voudrez »,
dit-il au marchand. Et il abandonna les fonctions
qu'il occupait dans la maison d'éditions paternelle,
pour se consacrer tout entier à la peinture. « Ça,
disait-il, c'est une chance! »

Il pensait en réalité : « C'est une chance qui
continue. » Aussi loin qu'il pût remonter dans sa
mémoire, il trouvait cette chance à l'œuvre. Il
nourrissait ainsi une tendre reconnaissance à l'endroit de ses parents, d'abord parce qu'ils l'avaient
élevé distraitement, ce qui lui avait fourni le loisir
de la rêverie, ensuite parce qu'ils s'étaient séparés
pour raison d'adultère. C'était du moins le prétexte invoqué par son père qui oubliait de pré-
ciser qu'il s'agissait d'un adultère assez particulier :
il ne pouvait supporter les bonnes œuvres de sa
femme, véritable sainte laïque, qui, sans y voir
malice, avait fait le don de sa personne à l'huma-
nité souffrante. Mais le mari prétendait disposer
en maître des vertus de sa femme. « J'en ai assez,
disait cet Othello, d'être trompé avec les pauvres. »

Ce malentendu fut profitable à Jonas. Ses parents,

ayant lu, ou appris, qu'on pouvait citer plusieurs
cas de meurtriers sadiques issus de parents divor-
cés, rivalisèrent de gâteries pour étouffer dans l'œuf
les germes d'une aussi fâcheuse évolution. Moins
apparents étaient les effets du choc subi, selon eux,
par la conscience de l'enfant, et plus ils s'en inquié-
taient : les ravages invisibles devaient être les plus
profonds. Pour peu que Jonas se déclarât content
de lui ou de sa journée, l'inquiétude ordinaire de
ses parents touchait à l'affolement. Leurs attentions
redoublaient et l'enfant n'avait alors plus rien à
désirer.

Son malheur supposé valut enfin à Jonas un
frère dévoué en la personne de son ami Rateau. Les
parents de ce dernier invitaient souvent son petit
camarade de lycée parce qu'ils plaignaient son
infortune. Leurs discours apitoyés inspirèrent à leur
fils, vigoureux et sportif, le désir de prendre sous
sa protection l'enfant dont il admirait déjà les
réussites nonchalantes. L'admiration et la condes-
cendance firent un bon mélange pour une amitié
que Jonas reçut, comme le reste, avec une simplicité encourageante.

Quand Jonas eut terminé, sans effort particulier,
ses études, il eut encore la chance d'entrer dans la
maison d'éditions de son père pour y trouver une
situation et, par des voies indirectes, sa vocation de
peintre. Premier éditeur de France, le père de
Jonas était d'avis que le livre, plus que jamais, et
en raison même de la crise de la culture, était
l'avenir. « L'histoire montre, disait-il, que moins

on lit et plus on achète de livres. » Partant, il ne lisait que rarement les manuscrits qu'on lui soumettait, ne se décidait à les publier que sur la personnalité de l'auteur ou l'actualité de son sujet (de ce point de vue, le seul sujet toujours actuel étant le sexe, l'éditeur avait fini par se spécialiser) et s'occupait seulement de trouver des présentations curieuses et de la publicité gratuite. Jonas reçut donc, en même temps que le département des lectures, de nombreux loisirs dont il fallut trouver l'emploi. C'est ainsi qu'il rencontra la peinture.

Pour la première fois, il se découvrit une ardeur imprévue, mais inlassable, consacra bientôt ses journées à peindre et, toujours sans effort, excella dans cet exercice. Rien d'autre ne semblait l'intéresser et c'est à peine s'il put se marier à l'âge convenable : la peinture le dévorait tout entier Aux êtres et aux circonstances ordinaires de la vie, il ne réservait qu'un sourire bienveillant qui le dispensait d'en prendre souci. Il fallut un accident de la motocyclette que Rateau conduisait trop vigoureusement, son ami en croupe, pour que Jonas, la main droite enfin immobilisée dans un bandage, et s'ennuyant, pût s'intéresser à l'amour. Là encore, il fut porté à voir dans ce grave accident les bons effets de son étoile. Sans lui, il n'eût pas pris le temps de regarder Louise Poulin comme elle le méritait.

Selon Rateau, d'ailleurs, Louise ne méritait pas d'être regardée. Petit et râblé lui-même, il n'aimait que les grandes femmes. « Je ne sais pas ce que tu trouves à cette fourmi », disait-il. Louise était en effet petite, noire de peau, de poils et d'œil, mais bien faite, et de jolie mine. Jonas, grand et solide, s'attendrissait sur la fourmi, d'autant plus qu'elle était industrieuse. La vocation de Louise était l'activité. Une telle vocation s'accordait heureusement au goût de Jonas pour l'inertie, et pour ses avantages. Louise se dévoua d'abord à la littérature, tant qu'elle crut du moins que l'édition intéressait Jonas. Elle lisait tout, sans ordre, et devint, en peu de semaines, capable de parler de tout. Jonas l'admira et se jugea définitivement dispensé de lectures puisque Louise le renseignait assez, et lui permettait de connaître l'essentiel des découvertes contemporaines. « Il ne faut plus dire, affirmait Louise, qu'un tel est méchant ou laid, mais qu'il se veut méchant ou laid. » La nuance était importante et risquait de mener au moins, comme le fit remarquer Rateau, à la condamnation du genre humain. Mais Louise trancha en montrant que cette vérité étant à la fois soutenue par la presse du cœur et les revues philosophiques, elle était universelle et ne pouvait être discutée. « Ce sera comme vous voudrez », dit Jonas, qui oublia aussitôt cette cruelle découverte pour rêver à son étoile.

Louise déserta la littérature dès qu'elle comprit que Jonas ne s'intéressait qu'à la peinture. Elle se dévoua aussitôt aux arts plastiques, courut musées et expositions, y traîna Jonas qui comprenait mal ce que peignaient ses contemporains et s'en trouvait

gêné dans sa simplicité d'artiste. Il se réjouissait
cependant d'être si bien renseigné sur tout ce qui
touchait à son art. Il est vrai que le lendemain,
il perdait jusqu'au nom du peintre dont il venait
de voir les œuvres. Mais Louise avait raison lorsqu'elle lui rappelait péremptoirement une des
certitudes qu'elle avait gardées de sa période litté-
raire, à savoir qu'en réalité on n'oubliait jamais
rien. L'étoile décidément protégeait Jonas qui
pouvait ainsi cumuler sans mauvaise conscience
les certitudes de la mémoire et les commodités de
l'oubli.

Mais les trésors de dévouement que prodiguait
Louise étincelaient de leurs plus beaux feux dans
la vie quotidienne de Jonas. Ce bon ange lui
évitait les achats de chaussures, de vêtements et de
linge qui abrègent, pour tout homme normal, les
jours d'une vie déjà si courte. Elle prenait à
charge, résolument, les mille inventions de la
machine à tuer le temps, depuis les imprimés
obscurs de la sécurité sociale jusqu'aux dispositions
sans cesse renouvelées de la fiscalité. « Oui, disait
Rateau, c'est entendu. Mais elle ne peut aller chez
le dentiste à ta place. » Elle n'y allait pas, mais
elle téléphonait et prenait les rendez-vous, aux
meilleures heures; elle s'occupait des vidanges de
la 4 CV, des locations dans les hôtels de vacances,
du charbon domestique; elle achetait elle-même
les cadeaux que Jonas désirait offrir, choisissait
et expédiait ses fleurs et trouvait encore le temps,
certains soirs, de passer chez lui, en son absence,

pour préparer le lit qu'il n'aurait pas besoin cette nuit-là d'ouvrir avant de se coucher.

Du même élan, aussi bien, elle entra dans ce lit, puis s'occupa du rendez-vous avec le maire, y mena Jonas deux ans avant que son talent fût enfin reconnu et organisa le voyage de noces de manière que tous les musées fussent visités. Non sans avoir trouvé, auparavant, en pleine crise du logement, un appartement de trois pièces où ils s'installèrent, au retour. Elle fabriqua ensuite, presque coup sur coup, deux enfants, garçon et fille, selon son plan qui était d'aller jusqu'à trois et qui fut rempli peu après que Jonas eut quitté la maison d'éditions pour se consacrer à la peinture.

Dès qu'elle eut accouché, d'ailleurs, Louise ne se dévoua plus qu'à son, puis ses enfants. Elle essayait encore d'aider son mari mais le temps lui manquait. Sans doute, elle regrettait de négliger Jonas, mais son caractère décidé l'empêchait de s'attarder à ces regrets. « Tant pis, disait-elle, chacun son établi. » Expression dont Jonas se déclarait enchanté, car il désirait, comme tous les artistes de son époque, passer pour un artisan. L'artisan fut donc un peu négligé et dut acheter ses souliers lui-même. Cependant, outre que cela était dans la nature des choses, Jonas fut encore tenté de s'en féliciter. Sans doute, il devait faire effort pour visiter les magasins, mais cet effort était récompensé par l'une de ces heures de solitude qui donne tant de prix au bonheur des couples.

Le problème de l'espace vital l'emportait de loin, pourtant, sur les autres problèmes du ménage, car le temps et l'espace se rétrécissaient du même mouvement, autour d'eux. La naissance des enfants, le nouveau métier de Jonas, leur installation étroite, et la modestie de la mensualité qui interdisait d'acheter un plus grand appartement, ne laissaient qu'un champ restreint à la double activité de Louise et de Jonas. L'appartement se trouvait au premier étage d'un ancien hôtel du XVIIIe siècle, dans le vieux quartier de la capitale. Beaucoup d'artistes logeaient dans cet arrondissement, fidèles au principe qu'en art la recherche du neuf doit se faire dans un cadre ancien. Jonas, qui partageait cette conviction, se réjouissait beaucoup de vivre dans ce quartier.

Pour ancien, en tout cas, son appartement l'était. Mais quelques arrangements très modernes lui avaient donné un air original qui tenait principalement à ce qu'il offrait à ses hôtes un grand volume d'air alors qu'il n'occupait qu'une surface réduite. Les pièces, particulièrement hautes, et ornées de superbes fenêtres, avaient été certainement destinées, si on en jugeait par leurs majestueuses proportions, à la réception et à l'apparat. Mais les nécessités de l'entassement urbain et de la rente immobilière avaient contraint les propriétaires successifs à couper par des cloisons ces pièces trop vastes, et à multiplier par ce moyen les stalles qu'ils louaient au prix fort à leur troupeau de locataires. Ils n'en faisaient pas moins valoir ce qu'ils appelaient « l'important cubage d'air ». Cet avantage n'était pas niable. Il fallait seulement l'attribuer à l'impossibilité où s'étaient trouvés les propriétaires de cloisonner aussi les pièces dans leur hauteur. Sans quoi, ils n'eussent pas hésité à faire les sacrifices nécessaires pour offrir quelques refuges de plus à la génération montante, particulièrement marieuse et prolifique à cette époque. Le cubage d'air ne présentait pas, d'ailleurs, que des avantages. Il offrait l'inconvénient de rendre les pièces difficiles à chauffer en hiver, ce qui obligeait malheureusement les propriétaires à majorer l'indemnité de chauffage. En été, à cause de la vaste surface vitrée, l'appartement était littéralement violé par la lumière : il n'y avait pas de persiennes. Les propriétaires avaient négligé d'en placer, découragés sans doute par la hauteur des fenêtres et le prix de la menuiserie. D'épais rideaux, après tout, pouvaient jouer le même rôle, et ne posaient aucun problème quant au prix de revient, puisqu'ils étaient à la charge des locataires. Les propriétaires, au demeurant, ne refusaient pas d'aider ces derniers et leur offraient à des prix imbattables des rideaux venus de leurs propres magasins. La philanthropie immobilière était en effet leur violon d'Ingres. Dans l'ordinaire de la vie, ces nouveaux princes vendaient de la percale et du velours.

Jonas s'était extasié sur les avantages de l'appartement et en avait admis sans peine les inconvénients. « Ce sera comme vous voudrez », dit-il au

propriétaire pour l'indemnité de chauffage. Quant
aux rideaux, il approuvait Louise qui trouvait
suffisant de garnir la seule chambre à coucher et de
laisser les autres fenêtres nues. « Nous n'avons
rien à cacher », disait ce cœur pur. Jonas avait
été particulièrement séduit par la plus grande
pièce dont le plafond était si haut qu'il ne pouvait
être question d'y installer un système d'éclairage.
On entrait de plain-pied dans cette pièce qu'un
étroit couloir reliait aux deux autres, beaucoup
plus petites, et placées en enfilade. Au bout de
l'appartement, la cuisine voisinait avec les commodités et un réduit décoré du nom de salle de
douches. Il pouvait en effet passer pour tel à
la condition d'y installer un appareil, de le placer
dans le sens vertical, et de consentir à recevoir le
jet bienfaisant dans une immobilité absolue.

La hauteur vraiment extraordinaire des pla-
fonds, et l'exiguïté des pièces, faisaient de cet
appartement un étrange assemblage de parallélé-
pipèdes presque entièrement vitrés, tout en portes
et en fenêtres, où les meubles ne pouvaient trouver
d'appui et où les êtres, perdus dans la lumière
blanche et violente, semblaient flotter comme des
ludions dans un aquarium vertical. De plus, toutes
les fenêtres donnaient sur la cour, c'est-à-dire, à peu
de distance, sur d'autres fenêtres du même style
derrière lesquelles on apercevait presque aussitôt le
haut dessin de nouvelles fenêtres donnant sur une
deuxième cour. « C'est le cabinet des glaces »,
disait Jonas ravi. Sur le conseil de Rateau, on avait

décidé de placer la chambre conjugale dans l'une des petites pièces, l'autre devant abriter l'enfant qui s'annonçait déjà. La grande pièce servait d'atelier à Jonas pendant la journée, de pièce commune le soir et à l'heure des repas. On pouvait d'ailleurs, à la rigueur, manger dans la cuisine, pourvu que Jonas, ou Louise, voulût bien se tenir debout. Rateau, de son côté, avait multiplié les installations ingénieuses. A force de portes roulantes, de tablettes escamotables et de tables pliantes, il était parvenu à compenser la rareté des meubles, en accentuant l'air de boîte à surprises de cet original appartement.

Mais quand les pièces furent pleines de tableaux et d'enfants, il fallut songer sans tarder à une nouvelle installation. Avant la naissance du troisième enfant, en effet, Jonas travaillait dans la grande pièce, Louise tricotait dans la chambre conjugale, tandis que les deux petits occupaient la dernière chambre, y menaient grand train, et roulaient aussi, comme ils le pouvaient, dans tout l'appartement. On décida alors d'installer le nouveau-né dans un coin de l'atelier que Jonas isola en superposant ses toiles à la manière d'un paravent, ce qui offrait l'avantage d'avoir l'enfant à la portée de l'oreille et de pouvoir ainsi répondre à ses appels. Jonas d'ailleurs n'avait jamais besoin de se déranger, Louise le prévenait. Elle n'attendait pas que l'enfant criât pour entrer dans l'atelier, quoique avec mille précautions, et toujours sur la pointe des pieds. Jonas, attendri par cette discrétion, assura un jour Louise qu'il n'était pas si sensible et qu'il pouvait très bien travailler sur le bruit de ses pas. Louise répondit qu'il s'agissait aussi de ne pas réveiller l'enfant. Jonas, plein d'admiration pour le cœur maternel qu'elle découvrait ainsi, rit de bon cœur de sa méprise. Du coup, il n'osa pas avouer que les interventions prudentes de Louise étaient plus gênantes qu'une franche irruption. D'abord parce qu'elles duraient plus longtemps, ensuite parce qu'elles s'exécutaient selon une mimique où Louise, les bras largement écartés, le torse un peu renversé en arrière, et la jambe lancée très haut devant elle, ne pouvait passer inaperçue. Cette méthode allait même contre ses intentions avouées, puisque Louise risquait à tout moment d'accrocher quelqu'une des toiles dont l'atelier était encombré. Le bruit réveillait alors l'enfant qui manifestait son mécontentement selon ses moyens, du reste assez puissants. Le père, enchanté des capacités pulmonaires de son fils, courait le dorloter, bientôt relayé par sa femme. Jonas relevait alors ses toiles, puis, pinceaux en mains, écoutait, charmé, la voix insistante et souveraine de son fils.

Ce fut le moment aussi où le succès de Jonas lui valut beaucoup d'amis. Ces amis se manifestaient au téléphone ou à l'occasion de visites impromptu. Le téléphone qui, tout bien pesé, avait été placé dans l'atelier, résonnait souvent, toujours au préjudice du sommeil de l'enfant qui mêlait ses cris à la sonnerie impérative de l'appareil. Si, d'aventure, Louise

était en train de soigner les autres enfants, elle
s'efforçait d'accourir avec eux, mais, la plupart du
temps, elle trouvait Jonas tenant l'enfant d'une
main et, de l'autre, les pinceaux avec le récepteur
du téléphone qui lui transmettait une invitation
affectueuse à déjeuner. Jonas s'émerveillait qu'on
voulût bien déjeuner avec lui, dont la conversation
était banale, mais préférait les sorties du soir afin
de garder intacte sa journée de travail. La plupart
du temps, malheureusement, l'ami n'avait que le
déjeuner, et ce déjeuner-ci, de libre; il tenait absolument à le réserver au cher Jonas. Le cher Jonas
acceptait : « Comme vous voudrez! », raccrochait :
« Est-il gentil celui-là! », et rendait l'enfant à
Louise. Puis il reprenait son travail, bientôt inter-
rompu par le déjeuner ou le dîner. Il fallait écarter
les toiles, déplier la table perfectionnée, et s'installer avec les petits. Pendant le repas, Jonas gardait
un œil sur le tableau en train, et il lui arrivait, au
début du moins, de trouver ses enfants un peu lents
à mastiquer et à déglutir, ce qui donnait à chaque
repas une longueur excessive. Mais il lut dans son
journal qu'il fallait manger avec lenteur pour bien
assimiler, et trouva dès lors dans chaque repas des
raisons de se réjouir longuement.

D'autres fois, ses nouveaux amis lui faisaient
visite. Rateau, lui, ne venait qu'après dîner. Il
était à son bureau dans la journée, et puis, il savait
que les peintres travaillent à la lumière du jour.
Mais les nouveaux amis de Jonas appartenaient
presque tous à l'espèce artiste ou critique. Les uns

avaient peint, d'autres allaient peindre, et les derniers enfin s'occupaient de ce qui avait été peint ou
le serait. Tous, certainement, plaçaient très haut les
travaux de l'art, et se plaignaient de l'organisation
du monde moderne qui rend si difficile la pour-
suite des dits travaux et l'exercice, indispensable à
l'artiste, de la méditation. Ils s'en plaignaient des
après-midi durant, suppliant Jonas de continuer à
travailler, de faire comme s'ils n'étaient pas là, et
d'en user librement avec eux qui n'étaient pas bour-
geois et savaient ce que valait le temps d'un artiste.
Jonas, content d'avoir des amis capables d'admettre
qu'on pût travailler en leur présence, retournait à son
tableau sans cesser de répondre aux questions qu'on
lui posait, ou de rire aux anecdotes qu'on lui contait.

Tant de naturel mettait ses amis de plus en plus
à l'aise. Leur bonne humeur était si réelle qu'ils en
oubliaient l'heure du repas. Les enfants, eux,
avaient meilleure mémoire. Ils accouraient, se mêlaient à la société, hurlaient, étaient pris en charge
par les visiteurs, sautaient de genoux en genoux.
La lumière déclinait enfin sur le carré du ciel
dessiné par la cour, Jonas posait ses pinceaux. Il ne
restait qu'à inviter les amis, à la fortune du pot,
et à parler encore, tard dans la nuit, de l'art bien
sûr, mais surtout des peintres sans talent, plagiaires
ou intéressés, qui n'étaient pas là. Jonas, lui, aimait
à se lever tôt, pour profiter des premières heures
de la lumière. Il savait que ce serait difficile, que le
petit déjeuner ne serait pas prêt à temps, et que
lui-même serait fatigué. Mais il se réjouissait aussi

d'apprendre, en un soir, tant de choses qui ne pouvaient manquer de lui être profitables, quoique de manière invisible, dans son art. « En art, comme dans la nature, rien ne se perd, disait-il. C'est un effet de l'étoile. »

Aux amis se joignaient parfois les disciples : Jonas maintenant faisait école. Il en avait d'abord été surpris, ne voyant pas ce qu'on pouvait apprendre de lui qui avait tout à découvrir. L'artiste, en lui, marchait dans les ténèbres; comment aurait-il enseigné les vrais chemins? Mais il comprit assez vite qu'un disciple n'était pas forcément quelqu'un qui aspire à apprendre quelque chose. Plus souvent, au contraire, on se faisait disciple pour le plaisir désintéressé d'enseigner son maître. Dès lors, il put accepter, avec humilité, ce surcroît d'honneurs. Les disciples de Jonas lui expliquaient longuement ce qu'ils avaient peint, et pourquoi. Jonas découvrait ainsi dans son œuvre beaucoup d'intentions qui le surprenaient un peu, et une foules de choses qu'il n'y avait pas mises. Il se croyait pauvre et, grâce à ses élèves, se trouvait riche d'un seul coup. Parfois, devant tant de richesses jusqu'alors inconnues, un soupçon de fierté effleurait Jonas. « C'est tout de même vrai, se disait-il. Ce visage-là, au dernier plan, on ne voit que lui. Je ne comprends pas bien ce qu'ils veulent dire en parlant d'humanisation indirecte. Pourtant, avec cet effet, je suis allé assez loin. » Mais bien vite, il se débarrassait sur son étoile de cette incommode maîtrise. « C'est l'étoile, disait-il, qui va loin. Moi, je reste près de Louise et des enfants. »

Les disciples avaient d'ailleurs un autre mérite : ils obligeaient Jonas à une plus grande rigueur envers lui-même. Ils le mettaient si haut dans leurs discours, et particulièrement en ce qui concernait sa conscience et sa force de travail, qu'après cela aucune faiblesse ne lui était plus permise. Il perdit ainsi sa vieille habitude de croquer un bout de sucre ou de chocolat quand il avait terminé un passage difficile, et avant de se remettre au travail. Dans la solitude, malgré tout, il eût cédé clandestinement à cette faiblesse. Mais il fut aidé dans ce progrès moral par la présence presque constante de ses disciples et amis devant lesquels il se trouvait un peu gêné de grignoter du chocolat et dont il ne pouvait d'ailleurs, pour une si petite manie, interrompre l'intéressante conversation.

De plus, ses disciples exigeaient qu'il restât fidèle à son esthétique. Jonas, qui peinait longuement pour recevoir de loin en loin une sorte d'éclair fugitif où la réalité surgissait alors à ses yeux dans une lumière vierge, n'avait qu'une idée obscure de sa propre esthétique. Ses disciples, au contraire, en avaient plusieurs idées, contradictoires et caté-goriques; ils ne plaisantaient pas là-dessus. Jonas eût aimé, parfois, invoquer le caprice, cet humble ami de l'artiste. Mais les froncements de sourcils de ses disciples devant certaines toiles qui s'écar-taient de leur idée le forçaient à réfléchir un peu plus sur son art, ce qui était tout bénéfice.

Enfin, les disciples aidaient Jonas d'une autre manière en le forçant à donner son avis sur leur propre production. Il ne se passait pas de jours, en effet, qu'on ne lui apportât quelque toile à peine ébauchée que son auteur plaçait entre Jonas et le tableau en train, afin de faire bénéficier l'ébauche de la meilleure lumière. Il fallait donner un avis. Jusqu'à cette époque, Jonas avait toujours eu une secrète honte de son incapacité profonde à juger d'une œuvre d'art. Exception faite pour une poignée de tableaux qui·le transportaient, et pour les gribouillages évidemment grossiers, tout lui paraissait également intéressant et indifférent. Il fut donc forcé de se constituer un arsenal de jugements, d'autant plus variés que ses disciples, comme tous les artistes de la capitale, avaient en somme un certain talent, et qu'il lui fallait établir, lorsqu'ils étaient là, des nuances assez diverses pour satisfaire chacun. Cette heureuse obligation le contraignit donc à se faire un vocabulaire, et des opinions sur son art. Sa naturelle bienveillance ne fut d'ailleurs pas aigrie par cet effort. Il comprit rapidement que ses disciples ne lui demandaient pas des critiques, dont ils n'avaient que faire, mais seulement des encouragements et, s'il se pouvait, des éloges. Il fallait seulement que les éloges fussent différents. Jonas ne se contenta plus d'être aimable, à son ordinaire. Il le fut avec ingéniosité.

Ainsi coulait le temps de Jonas, qui peignait au milieu d'amis et d'élèves, installés sur des chaises maintenant disposées en rangs concentriques autour du chevalet. Souvent, aussi bien, des voisins apparaissaient aux fenêtres d'en face et s'ajoutaient à son public. Il discutait, échangeait des vues, examinait les toiles qui lui étaient soumises, souriait aux passages de Louise, consolait les enfants et répondait chaleureusement aux appels téléphoniques, sans jamais lâcher ses pinceaux avec lesquels, de temps en temps, il ajoutait une touche au tableau commencé. Dans un sens, sa vie était bien remplie, toute ses heures étaient employées, et il rendait grâces au destin qui lui épargnait l'ennui. Dans un autre sens, il fallait beaucoup de touches pour remplir un tableau et il pensait parfois que l'ennui avait du bon puisqu'on pouvait s'en évader par le travail acharné. La production de Jonas, au contraire, ralentissait dans la mesure où ses amis devenaient plus intéressants. Même dans les rares heures où il était tout à fait seul, il se sentait trop fatigué pour mettre les bouchées doubles. Et dans ces heures, il ne pouvait que rêver d'une nouvelle organisation qui concilierait les plaisirs de l'amitié et les vertus de l'ennui.

Il s'en ouvrit à Louise qui, de son côté, s'inquiétait devant la croissance de ses deux aînés et l'étroitesse de leur chambre. Elle proposa de les installer dans la grande pièce en masquant leur lit par un paravent, et de transporter le bébé dans la petite pièce où il ne serait pas réveillé par le téléphone. Comme le bébé ne tenait aucune place, Jonas pouvait faire de la petite pièce son atelier. La grande servirait alors aux réceptions de la journée, Jonas pourrait aller et venir, rendre visite à ses amis ou travailler, sûr qu'il était d'être compris dans son besoin d'isolement. De plus, la nécessité de coucher les grands enfants permettrait d'écourter les soirées. « Superbe, dit Jonas après réflexion. — Et puis, dit Louise, si tes amis partent tôt, nous nous verrons un peu plus. » Jonas la regarda. Une ombre de tristesse passait sur le visage de Louise. Emu, il la prit contre lui, l'embrassa avec toute sa tendresse. Elle s'abandonna et, pendant un instant, ils furent heureux comme ils l'avaient été au début de leur mariage. Mais elle se secoua : la pièce était peut-être trop petite pour Jonas. Louise se saisit d'un mètre pliant et ils découvrirent qu'en raison de l'encombrement créé par ses toiles et par celles de ses élèves, de beaucoup les plus nombreuses, il travaillait, ordinairement, dans un espace à peine plus grand que celui qui lui serait, désormais, attribué. Jonas procéda sans tarder au déménagement.

Sa réputation, par chance, grandissait d'autant plus qu'il travaillait moins. Chaque exposition était attendue et célébrée d'avance. Il est vrai qu'un petit nombre de critiques, parmi lesquels se trouvaient deux de ses visiteurs habituels de l'atelier, tempéraient de quelques réserves la chaleur de leur compte rendu. Mais l'indignation des disciples compensait, et au-delà, ce petit malheur. Bien sûr, affirmaient ces derniers avec force, ils mettaient au-dessus de tout les toiles de la première période, mais les recherches actuelles préparaient une véritable révolution. Jonas se reprochait le léger agacement qui lui venait chaque fois qu'on exaltait ses premières œuvres et remerciait avec effusion. Seul Rateau grognait : « Drôles de pistolets... Ils t'aiment en statue, immobile. Avec eux, défense de vivre! » Mais Jonas défendait ses disciples : « Tu ne peux pas comprendre, disait-il à Rateau, toi, tu aimes tout ce que je fais. » Rateau riait : « Parbleu. Ce ne sont pas tes tableaux que j'aime. C'est ta peinture. »

Les tableaux continuaient de plaire en tout cas et, après une exposition accueillie chaleureusement, le marchand proposa, de lui-même, une augmentation de la mensualité. Jonas accepta, en protestant de sa gratitude. « A vous entendre, dit le marchand, on croirait que vous attachez de l'importance à l'argent. » Tant de bonhomie conquit le cœur du peintre. Cependant, comme il demandait au marchand l'autorisation de donner une toile à une vente de charité, celui-ci s'inquiéta de savoir s'il s'agissait d'une charité « qui rapportait ». Jonas l'ignorait. Le marchand proposa donc d'en rester honnêtement aux termes du contrat qui lui accordait un privilège exclusif quant à la vente. « Un contrat est un contrat », dit-il. Dans le leur, la charité n'était pas prévue. « Ce sera comme vous voudrez », dit le peintre.

La nouvelle organisation n'apporta que des satisfactions à Jonas. Il put, en effet, s'isoler assez souvent pour répondre aux nombreuses lettres qu'il recevait maintenant et que sa courtoisie ne pouvait laisser sans réponse. Les unes concernaient l'art

de Jonas, les autres, de beaucoup les plus nombreuses, la personne du correspondant, soit qu'il
voulût être encouragé dans sa vocation de peintre,
soit qu'il eût à demander un conseil ou une aide
financière. A mesure que le nom de Jonas paraissait
dans les gazettes, il fut aussi sollicité, comme tout
le monde, d'intervenir pour dénoncer des injustices
très révoltantes. Jonas répondait, écrivait sur l'art,
remerciait, donnait son conseil, se privait d'une
cravate pour envoyer un petit secours, signait enfin
les justes protestations qu'on lui soumettait. « Tu
fais de la politique, maintenant? Laisse ça aux écrivains et aux filles laides », disait Rateau. Non il ne
signait que les protestations qui se déclaraient
étrangères à tout esprit de parti. Mais toutes se
réclamaient de cette belle indépendance. A longueur de semaines, Jonas traînait ses poches
gonflées d'un courrier, sans cesse négligé et renouvelé. Il répondait aux plus pressantes, qui venaient
généralement d'inconnus, et gardait pour un meilleur temps celles qui demandaient une réponse à
loisir, c'est-à-dire les lettres d'amis. Tant d'obli-
gations lui interdisaient en tout cas la flânerie, et
l'insouciance du cœur. Il se sentait toujours en
retard, et toujours coupable, même quand il travaillait, ce qui lui arrivait de temps en temps.

Louise était de plus en plus mobilisée par les
enfants, et s'épuisait à faire tout ce que lui-même,
en d'autres circonstances, eût pu faire dans la maison. Il en était malheureux. Après tout, il travaillait, lui, pour son plaisir, elle avait la plus

mauvaise part. Il s'en apercevait bien quand elle
était en courses. « Le téléphone! » criait l'aîné, et
Jonas plantait là son tableau pour y revenir, le
cœur en paix, avec une invitation supplémentaire.
« C'est pour le gaz! » hurlait un employé dans la
porte qu'un enfant lui avait ouverte. « Voilà,
voilà! » Quand Jonas quittait le téléphone, ou la
porte, un ami, un disciple, les deux parfois, le suivaient jusqu'à la petite pièce pour terminer la
conversation commencée. Peu à peu, tous devinrent
familiers du couloir. Ils s'y tenaient, bavardaient
entre eux, prenaient de loin Jonas à témoin, ou
bien faisaient une courte irruption dans la petite
pièce. « Ici, au moins, s'exclamaient ceux qui
entraient, on peut vous voir un peu, et à loisir. »
Jonas s'attendrissait : « C'est vrai, disait-il. Finale-
ment, on ne se voit plus. » Il sentait bien aussi qu'il
décevait ceux qu'il ne voyait pas, et il s'en attris-
tait. Souvent, il s'agissait d'amis qu'il eût préféré
rencontrer. Mais le temps lui manquait, il ne pouvait tout accepter. Aussi, sa réputation s'en ressentit.
« Il est devenu fier, disait-on, depuis qu'il a réussi.
Il ne voit plus personne. » Ou bien : « Il n'aime
personne que lui. » Non, il aimait sa peinture, et
Louise, ses enfants, Rateau, quelques-uns encore, et
il avait de la sympathie pour tous. Mais la vie est
brève, le temps rapide, et sa propre énergie avait
des limites. Il était difficile de peindre le monde
et les hommes et, en même temps, de vivre avec
eux. D'un autre côté, il ne pouvait se plaindre ni
expliquer ses empêchements. Car on lui frappait

alors sur l'épaule. « Heureux gaillard! C'est la rançon de la gloire! »

Le courrier s'accumulait donc, les disciples ne toléraient aucun relâchement, et les gens du monde maintenant affluaient que Jonas d'ailleurs estimait de s'intéresser à la peinture quand ils eussent pu, comme chacun, se passionner pour la royale famille d'Angleterre ou les relais gastronomiques. A la vérité, il s'agissait surtout de femmes du monde, mais qui avaient une grande simplicité de manières. Elles n'achetaient pas elles-mêmes de toiles et amenaient seulement leurs amis chez l'artiste dans l'espoir, souvent déçu, qu'ils achèteraient à leur place. En revanche, elles aidaient Louise, particulièrement en préparant du thé pour les visiteurs. Les tasses passaient de main en main, parcouraient le couloir, de la cuisine à la grande pièce, revenaient ensuite pour atterrir dans le petit atelier où Jonas, au milieu d'une poignée d'amis et de visiteurs qui suffisaient à remplir la chambre, continuait de peindre jusqu'au moment où il devait déposer ses pinceaux pour prendre, avec reconnaissance, la tasse qu'une fascinante personne avait spécialement remplie pour lui.

Il buvait son thé, regardait l'ébauche qu'un disciple venait de poser sur son chevalet, riait avec ses amis, s'interrompait pour demander à l'un d'eux de bien vouloir poster le paquet de lettres qu'il avait écrites dans la nuit, redressait le petit deuxième tombé dans ses jambes, posait pour une photographie et puis : « Jonas, le téléphone! » il

brandissait sa tasse, fendait en s'excusant la foule
qui occupait son couloir, revenait, peignait un coin
de tableau, s'arrêtait pour répondre à la fascinante
que, certainement, il ferait son portrait, et retournait au chevalet. Il travaillait, mais : « Jonas, une
signature ! — Qu'est-ce que c'est, disait-il, le facteur ?
— Non, les forçats du Cachemire. — Voilà, voilà ! »
Il courait alors à la porte recevoir un jeune ami des
hommes et sa protestation, s'inquiétait de savoir s'il
s'agissait de politique, signait après avoir reçu un
complet apaisement en même temps que des remon-
trances sur les devoirs que lui créaient ses privi-
lèges d'artiste et réapparaissait pour qu'on lui
présente, sans qu'il pût comprendre leur nom, un
boxeur fraîchement victorieux, ou le plus grand
dramaturge d'un pays étranger. Le dramaturge lui
faisait face pendant cinq minutes, exprimant par
des regards émus ce que son ignorance du français
ne lui permettait pas de dire plus clairement, pendant que Jonas hochait la tête avec une sincère
sympathie. Heureusement, cette situation sans
issue était dénouée par l'irruption du dernier pré-
dicateur de charme qui voulait être présenté au
grand peintre. Jonas, enchanté, disait qu'il l'était,
tâtait le paquet de lettres dans sa poche, empoi-
gnait ses pinceaux, se préparait à reprendre un
passage, mais devait d'abord remercier pour la paire
de setters qu'on lui amenait à l'instant, allait les
garer dans la chambre conjugale, revenait pour
accepter l'invitation à déjeuner de la donatrice,
ressortait aux cris de Louise pour constater sans

doute possible que les setters n'avaient pas été dressés à vivre en appartement, et les menait dans la salle de douches où ils hurlaient avec tant de persévérance qu'on ne finissait par ne plus les entendre. De loin en loin, par-dessus les têtes, Jonas apercevait le regard de Louise et il lui semblait que ce regard était triste. La fin du jour arrivait enfin, des visiteurs prenaient congé, d'autres s'attardaient dans la grande pièce, et regardaient avec attendrissement Louise coucher les enfants, aidée gentiment par une élégante à chapeau qui se désolait de devoir tout à l'heure regagner son hôtel particulier où la vie, dispersée sur deux étages, était tellement moins intime et chaleureuse que chez les Jonas.

Un samedi après-midi, Rateau vint apporter à Louise un ingénieux séchoir à linge qui pouvait se fixer au plafond de la cuisine. Il trouva l'appartement bondé et, dans la petite pièce, entouré de connaisseurs, Jonas qui peignait la donatrice aux chiens, mais était peint lui-même par un artiste officiel. Celui-ci, selon Louise, exécutait une commande de l'Etat. « Ce sera *l'Artiste au travail*. » Rateau se retira dans un coin de la pièce pour regarder son ami, absorbé visiblement par son effort. Un des connaisseurs, qui n'avait jamais vu Rateau, se pencha vers lui : « Hein, dit-il, il a bonne mine! » Rateau ne répondit pas. « Vous peignez, continua l'autre. Moi aussi. Eh bien, croyez-moi, il baisse. — Déjà? dit Rateau. — Oui. C'est le succès. On ne résiste pas au succès. Il est fini. — Il baisse ou il est fini? — Un artiste qui baisse est fini. Voyez, il n'a plus rien à peindre. On le peint lui-même et on l'accrochera au mur. »

Plus tard, au milieu de la nuit, dans la chambre conjugale, Louise, Rateau et Jonas, celui-ci debout, les deux autres assis sur un coin du lit, se taisaient. Les enfants dormaient, les chiens étaient en pension à la campagne, Louise venait de laver la nombreuse vaisselle que Jonas et Rateau avaient essuyée, la fatigue était bonne. « Prenez une domestique », avait dit Rateau, devant la pile d'assiettes. Mais Louise, avec mélancolie : « Où la mettrions-nous? » Ils se taisaient donc. « Es-tu content? » demanda soudain Rateau. Jonas sourit, mais il avait l'air las. « Oui. Tout le monde est gentil avec moi. — Non, dit Rateau. Méfie-toi. Ils ne sont pas tous bons. — Qui? — Tes amis peintres, par exemple. — Je sais, dit Jonas. Mais beaucoup d'artistes sont comme ça. Ils ne sont pas sûrs d'exister, même les plus grands. Alors, ils cherchent des preuves, ils jugent, ils condamnent. Ça les fortifie, c'est un commencement d'existence. Ils sont seuls! » Rateau secouait la tête. « Crois-moi, dit Jonas, je les connais. Il faut les aimer. — Et toi, dit Rateau, tu existes donc? Tu ne dis jamais de mal de personne. » Jonas se mit à rire : « Oh! j'en pense souvent du mal. Seulement, j'oublie. » Il devint grave : « Non, je ne suis pas certain d'exister. Mais j'existerai, j'en suis sûr. »

Rateau demanda à Louise ce qu'elle en pensait. Elle sortit de sa fatigue pour dire que Jonas avait raison : l'opinion de leurs visiteurs n'avait pas d'importance. Seul le travail de Jonas importait. Et elle sentait bien que l'enfant le gênait. Il grandissait d'ailleurs, il faudrait acheter un divan, qui prendrait de la place. Comment faire, en attendant de trouver un plus grand appartement! Jonas regardait la chambre conjugale. Bien sûr, ce n'était pas l'idéal, le lit était très large. Mais la pièce était vide toute la journée. Il le dit à Louise qui réfléchit. Dans la chambre, du moins, Jonas ne serait pas dérangé; on n'oserait tout de même pas se coucher sur leur lit. « Qu'en pensez-vous? » demanda Louise, à son tour, à Rateau. Celui-ci regardait Jonas. Jonas contemplait les fenêtres d'en face. Puis, il leva les yeux vers le ciel sans étoiles, et alla tirer les rideaux. Quand il revint, il sourit à Rateau et s'assit, près de lui, sur le lit sans rien dire. Louise, visiblement fourbue, déclara qu'elle allait prendre sa douche. Quand les deux amis furent seuls, Jonas sentit l'épaule de Rateau toucher la sienne. Il ne le regarda pas, mais dit : « J'aime peindre. Je voudrais peindre ma vie entière, jour et nuit. N'est-ce pas une chance, cela? » Rateau le regardait avec tendresse : « Oui, dit-il, c'est une chance. »

Les enfants grandissaient et Jonas était heureux de les voir gais et vigoureux. Ils allaient en classe, et revenaient à quatre heures. Jonas pouvait encore en profiter le samedi après-midi, le jeudi, et aussi, à longueur de journées, pendant de fréquentes et longues vacances. Ils n'étaient pas encore assez grands pour jouer sagement, mais se montraient assez robustes pour meubler l'appartement de leurs disputes et de leurs rires. Il fallait les calmer, les menacer, faire mine parfois de les battre. Il y avait aussi le linge à tenir propre, les boutons à recoudre; Louise n'y suffisait plus. Puisqu'on ne pouvait loger une domestique, ni même l'introduire dans l'étroite intimité où ils vivaient, Jonas suggéra d'appeler à l'aide la sœur de Louise, Rose, qui était restée veuve avec une grande fille. « Oui, dit Louise, avec Rose, on ne se gênera pas. On la mettra à la porte quand on voudra. » Jonas se réjouit de cette solution qui soulagerait Louise en même temps que sa propre conscience, embarrassée devant la fatigue de sa femme. Le soulagement fut d'autant plus grand que la sœur amenait souvent sa fille en renfort. Toutes deux avaient le meilleur cœur du monde; la vertu et le désintéressement éclataient dans leur nature honnête. Elles firent l'impossible pour venir en aide au ménage et n'épargnèrent pas leur temps. Elles y furent aidées par l'ennui de leurs vies solitaires et le plaisir d'aise qu'elles trouvaient chez Louise. Comme prévu, en effet, personne ne se gêna et les deux parentes, dès le premier jour, se sentirent vraiment chez elles. La grande pièce devint commune, à la fois salle à manger, lingerie, et garderie d'enfants. La petite pièce où dormait le dernier-né servit à entreposer les toiles et un lit de camp où dormait parfois Rose, quand elle se trouvait sans sa fille.

Jonas occupait la chambre conjugale et travaillait dans l'espace qui séparait le lit de la fenêtre. Il fallait seulement attendre que la chambre fût faite, après celle des enfants. Ensuite, on ne venait plus le déranger que pour chercher quelque pièce de linge : la seule armoire de la maison se trouvait en effet dans cette chambre. Les visiteurs, de leur côté, quoique un peu moins nombreux, avaient pris des habitudes et, contre l'espérance de Louise, n'hésitaient pas à se coucher sur le lit conjugal pour mieux bavarder avec Jonas. Les enfants venaient aussi embrasser leur père. « Fais voir l'image. » Jonas leur montrait l'image qu'il peignait et les embrassait avec tendresse. En les renvoyant, il sentait qu'ils occupaient tout l'espace de son cœur, pleinement, sans restriction. Privé d'eux, il ne retrouverait plus que vide et solitude. Il les aimait autant que sa peinture parce que, seuls dans le monde, ils étaient aussi vivants qu'elle.

Pourtant, Jonas travaillait moins, sans qu'il pût savoir pourquoi. Il était toujours assidu, mais il avait maintenant de la difficulté à peindre, même dans les moments de solitude. Ces moments, il les passait à regarder le ciel. Il avait toujours été distrait et absorbé, il devint rêveur. Il pensait à la peinture, à sa vocation, au lieu de peindre. « J'aime peindre », se disait-il encore, et la main qui tenait le pinceau pendait le long de son corps, et il écoutait une radio lointaine.

En même temps, sa réputation baissait. On lui apportait des articles réticents, d'autres mauvais, et quelques-uns si méchants que son cœur se serrait. Mais il se disait qu'il y avait aussi du profit à tirer de ces attaques qui le pousseraient à mieux tra-

vailler. Ceux qui continuaient à venir le traitaient
avec moins de déférence, comme un vieil ami, avec
qui il n'y a pas à se gêner. Quand il voulait retourner à son travail : « Bah! disaient-ils, tu as bien
le temps! » Jonas sentait que, d'une certaine manière, ils l'annexaient déjà à leur propre échec.
Mais, dans un autre sens, cette solidarité nouvelle
avait quelque chose de bienfaisant. Rateau haussait les épaules : « Tu es trop bête. Ils ne t'aiment
guère. — Ils m'aiment un peu maintenant, répondait Jonas. Un peu d'amour, c'est énorme. Qu'im-
porte comme on l'obtient! » Il continuait donc de
parler, d'écrire des lettres et de peindre, comme il
pouvait. De loin en loin, il peignait vraiment, surtout le dimanche après-midi, quand les enfants
sortaient avec Louise et Rose. Le soir, il se réjouissait d'avoir un peu avancé le tableau en cours.
A cette époque, il peignait des ciels.

Le jour où le marchand lui fit savoir qu'à son
regret, devant la diminution sensible des ventes,
il était obligé de réduire sa mensualité, Jonas l'approuva, mais Louise montra de l'inquiétude. C'était
le mois de septembre, il fallait habiller les enfants
pour la rentrée. Elle se mit elle-même à l'ouvrage,
avec son courage habituel, et fut bientôt dépassée.
Rose, qui pouvait raccommoder et coudre des boutons, n'était pas couturière. Mais la cousine de
son mari l'était; elle vint aider Louise. De temps en
temps, elle s'installait dans la chambre de Jonas,
sur une chaise de coin, où cette personne silencieuse
se tenait d'ailleurs tranquille. Si tranquille même

que Louise suggéra à Jonas de peindre une
Ouvrière. « Bonne idée », dit Jonas. Il essaya, gâcha
deux toiles, puis revint à un ciel commencé. Le lendemain, il se promena longuement dans l'appartement et réfléchit au lieu de peindre. Un disciple,
tout échauffé, vint lui montrer un long article,
qu'il n'aurait pas lu autrement, où il apprit que
sa peinture était en même temps surfaite et
périmée; le marchand lui téléphona pour lui dire
encore son inquiétude devant la courbe des ventes.
Il continuait pourtant de rêver et de réfléchir. Il
dit au disciple qu'il y avait du vrai dans l'article,
mais que lui, Jonas, pouvait compter encore sur
beaucoup d'années de travail. Au marchand, il
répondit qu'il comprenait son inquiétude, mais
qu'il ne la partageait pas. Il avait une grande
œuvre, vraiment nouvelle, à faire; tout allait recommencer. En parlant, il sentit qu'il disait vrai et que
son étoile était là. Il suffisait d'une bonne organisation.

Les jours qui suivirent, il tenta de travailler dans
le couloir, le surlendemain dans la salle de douches,
à l'électricité, le jour d'après dans la cuisine. Mais,
pour la première fois, il était gêné par les gens
qu'il rencontrait partout, ceux qu'il connaissait à
peine et les siens, qu'il aimait. Pendant quelque
temps, il s'arrêta de travailler et réfléchit. Il aurait
peint sur le motif si la saison s'y était prêtée. Malheureusement, on allait entrer dans l'hiver, il était
difficile de faire du paysage avant le printemps. Il
essaya cependant, et renonça : le froid pénétrait

jusqu'à son cœur. Il vécut plusieurs jours avec ses toiles, assis près d'elles le plus souvent, ou bien planté devant la fenêtre; il ne peignait plus. Il prit alors l'habitude de sortir le matin. Il se donnait le projet de croquer un détail, un arbre, une maison de guingois, un profil saisi au passage. Au bout de la journée, il n'avait rien fait. La moindre tentation, les journaux, une rencontre, des vitrines, la chaleur d'un café, le fixait au contraire. Chaque soir, il fournissait sans trêve en bonnes excuses une mauvaise conscience qui ne le quittait pas. Il allait peindre, c'était sûr, et mieux peindre, après cette période de vide apparent. Ça travaillait au-dedans, voilà tout, l'étoile sortirait lavée à neuf, étincelante, de ces brouillards obscurs. En attendant, il ne quittait plus les cafés. Il avait découvert que l'alcool lui donnait la même exaltation que les journées de grand travail, au temps où il pensait à son tableau avec cette tendresse et cette chaleur qu'il n'avait jamais ressenties que devant ses enfants. Au deuxième cognac, il retrouvait en lui cette émotion poignante qui le faisait à la fois maître et serviteur du monde. Simplement, il en jouissait dans le vide, les mains oisives, sans la faire passer dans une œuvre. Mais c'était là ce qui se rapprochait le plus de la joie pour laquelle il vivait et il passait maintenant de longues heures, assis, rêvant, dans des lieux enfumés et bruyants.

Il fuyait pourtant les endroits et les quartiers fréquentés par les artistes. Quand il rencontrait une connaissance qui lui parlait de sa peinture, une panique le prenait. Il voulait fuir, cela se voyait, il fuyait alors. Il savait ce qu'on disait derrière lui : « Il se prend pour Rembrandt », et son malaise grandissait. Il ne souriait plus, en tout cas, et ses anciens amis en tiraient une conclusion singulière, mais inévitable : « S'il ne sourit plus, c'est qu'il est très content de lui. » Sachant cela, il devenait de plus en plus fuyant et ombrageux. Il lui suffisait, entrant dans un café, d'avoir le sentiment d'être reconnu par une personne de l'assistance pour que tout s'obscurcît en lui. Une seconde, il restait planté là, plein d'impuissance et d'un étrange chagrin, le visage fermé sur son trouble, et aussi sur un avide et subit besoin d'amitié. Il pensait au bon regard de Rateau et il sortait brusquement. « Tu parles d'une gueule! » dit un jour quelqu'un, tout près de lui, au moment où il disparaissait.

Il ne fréquentait plus que les quartiers excentriques où personne ne le connaissait. Là, il pouvait parler, sourire, sa bienveillance revenait, on ne lui demandait rien. Il se fit quelques amis peu exigeants. Il aimait particulièrement la compagnie de l'un d'eux, qui le servait dans un buffet de gare où il allait souvent. Ce garçon lui avait demandé « ce qu'il faisait dans la vie ». « Peintre, avait répondu Jonas. — Artiste peintre ou peintre en bâtiment? — Artiste. — Eh bien! avait dit l'autre, c'est difficile. » Et ils n'avaient plus abordé la question. Oui, c'était difficile, mais Jonas allait s'en tirer, dès qu'il aurait trouvé comment organiser son travail.

Au hasard des jours et des verres, il fit d'autres rencontres, des femmes l'aidèrent. Il pouvait leur parler, avant ou après l'amour, et surtout se vanter un peu, elles le comprenaient même si elles n'étaient pas convaincues. Parfois, il lui semblait que son ancienne force revenait. Un jour où il avait été encouragé par une de ses amies, il se décida. Il revint chez lui, essaya de travailler à nouveau dans la chambre, la couturière étant absente. Mais au bout d'une heure, il rangea sa toile, sourit à Louise sans la voir et sortit. Il but le jour entier et passa la nuit chez son amie, sans être d'ailleurs en état de la désirer. Au matin, la douleur vivante, et son visage détruit, le reçut en la personne de Louise. Elle voulut savoir s'il avait pris cette femme. Jonas dit qu'il ne l'avait pas fait, étant ivre, mais qu'il en avait pris d'autres auparavant. Et pour la première fois, le cœur déchiré, il vit à Louise ce visage de noyée que donnent la surprise et l'excès de la douleur. Il découvrit alors qu'il n'avait pas pensé à elle pendant tout ce temps et il en eut honte. Il lui demanda pardon, c'était fini, demain tout recommencerait comme auparavant. Louise ne pouvait parler et se détourna pour cacher ses larmes.

Le jour d'après, Jonas sortit très tôt. Il pleuvait. Quand il rentra, mouillé comme un champignon, il était chargé de planches. Chez lui, deux vieux amis, venus aux nouvelles, prenaient du café dans la grande pièce. « Jonas change de manières. Il va peindre sur bois! » dirent-ils. Jonas souriait : « Ce n'est pas cela. Mais je commence quelque chose de nouveau. » Il gagna le petit couloir qui desservait la salle de douches, les toilettes et la cuisine. Dans l'angle droit que faisaient les deux couloirs, il s'arrêta et considéra longuement les hauts murs qui s'élevaient jusqu'au plafond obscur. Il fallait un escabeau qu'il descendit chercher chez le concierge.

Quand il remonta, il y avait quelques personnes de plus chez lui et il dut lutter contre l'affection de ses visiteurs, ravis de le retrouver, et les questions de sa famille, pour parvenir au bout du couloir. Sa femme sortait à ce moment de la cuisine. Jonas, posant son escabeau, la serra très fort contre lui. Louise le regardait : « Je t'en prie, dit-elle, ne recommence pas. — Non, non, dit Jonas. Je vais peindre. Il faut que je peigne. » Mais il semblait se parler à lui-même, son regard était ailleurs. Il se mit au travail. A mi-hauteur des murs, il construisit un plancher pour obtenir une sorte de soupente étroite, quoique haute et profonde. A la fin de l'après-midi, tout était terminé. En s'aidant de l'escabeau, Jonas se pendit alors au plancher de la soupente et, pour éprouver la solidité de son travail, effectua quelques tractions. Puis, il se mêla aux autres, et chacun se réjouit de le trouver à nouveau si affectueux. Le soir, quand la maison fut relativement vide, Jonas prit une lampe à pétrole, une chaise, un tabouret et un cadre. Il monta le tout dans la soupente, sous le regard intrigué des trois femmes et des enfants. « Voilà, dit-il du haut de son perchoir. Je travaillerai sans déranger personne. » Louise demanda s'il en était sûr. « Mais oui, dit-il, il faut peu de place. Je serai plus libre. Il y a eu de grands peintres qui peignaient à la chandelle, et... — Le plancher est-il assez solide? » Il l'était. « Sois tranquille, dit Jonas, c'est une très bonne solution. » Et il redescendit.

Le lendemain, à la première heure, il grimpa dans la soupente, s'assit, posa le cadre sur le tabourte, debout contre le mur, et attendit sans allumer la lampe. Les seuls bruits qu'il entendait directement venaient de la cuisine ou des toilettes. Les autres rumeurs semblaient lointaines et les visites, les sonneries de l'entrée ou du téléphone, les allées et venues, les conversations, lui parvenaient étouffées à moitié, comme si elles arrivaient de la rue ou de l'autre cour. De plus, alors que tout l'appartement regorgeait d'une lumière crue, l'ombre était ici reposante. De temps en temps, un ami venait et se campait sous la soupente. « Que fais-tu là, Jonas? — Je travaille. — Sans lumière? — Oui, pour le moment. » Il ne peignait pas, mais il réfléchissait. Dans l'ombre et ce demi-silence qui, par comparaison avec ce qu'il avait vécu jusque-là, lui paraissait celui du désert ou de la tombe, il écoutait son propre cœur. Les bruits qui arrivaient jusqu'à la soupente semblaient désormais ne plus le concerner, tout en s'adressant à lui. Il était comme ces hommes qui meurent seuls, chez eux, en plein sommeil, et, le matin venu, les appels téléphoniques retentissent, fiévreux et insistants, dans la maison déserte, au-

dessus d'un corps à jamais sourd. Mais lui vivait,
il écoutait en lui-même ce silence, il attendait son
étoile, encore cachée, mais qui se préparait à monter
de nouveau, à surgir enfin, inaltérable, au-dessus du
désordre de ces jours vides. « Brille, brille, disait-il.
Ne me prive pas de ta lumière. » Elle allait briller
de nouveau, il en était sûr. Mais il fallait qu'il
réfléchît encore plus longtemps, puisque la chance
lui était enfin donnée d'être seul sans se séparer des
siens. Il fallait qu'il découvre ce qu'il n'avait pas
encore compris clairement, bien qu'il l'eût toujours
su, et qu'il eût toujours peint comme s'il le savait.
Il devait se saisir enfin de ce secret qui n'était pas
seulement celui de l'art, il le voyait bien. C'est pourquoi il n'allumait pas la lampe.

Chaque jour, maintenant, Jonas remontait dans
sa soupente. Les visiteurs se firent plus rares, Louise,
préoccupée, se prêtant peu à la conversation. Jonas
descendait pour les repas et remontait dans le perchoir. Il restait immobile, dans l'obscurité, la journée entière. La nuit, il rejoignait sa femme déjà
couchée. Au bout de quelques jours, il pria Louise
de lui passer son déjeuner, ce qu'elle fit avec un
soin qui attendrit Jonas. Pour ne pas la déranger
en d'autres occasions, il lui suggéra de faire quelques
provisions qu'il entreposerait dans la soupente. Peu
à peu, il ne redescendit plus de la journée. Mais il
touchait à peine à ses provisions.

Un soir, il appela Louise et demanda quelques
couvertures : « Je passerai la nuit ici. » Louise le
regardait, la tête penchée en arrière. Elle ouvrit

la bouche, puis se tut. Elle examinait seulement Jonas avec une expression inquiète et triste; il vit soudain à quel point elle avait vieilli, et que la fatigue de leur vie avait mordu profondément sur elle aussi. Il pensa alors qu'il ne l'avait jamais vraiment aidée. Mais avant qu'il pût parler, elle lui sourit, avec une tendresse qui serra le cœur de Jonas. « Comme tu voudras, mon chéri », dit-elle.

Désormais, il passa ses nuits dans la soupente dont il ne redescendait presque plus. Du coup, la maison se vida de ses visiteurs puisqu'on ne pouvait plus voir Jonas ni dans la journée ni le soir. A certains, on disait qu'il était à la campagne, à d'autres, quand on était las de mentir, qu'il avait trouvé un atelier. Seul, Rateau venait fidèlement. Il grimpait sur l'escabeau, sa bonne grosse tête dépassait le niveau du plancher : « Ça va? disait-il. — Le mieux du monde. — Tu travailles? — C'est tout comme. — Mais tu n'as pas de toile! — Je travaille quand même. » Il était difficile de prolonger ce dialogue de l'escabeau et de la soupente. Rateau hochait la tête, redescendait, aidait Louise en réparant les plombs ou une serrure, puis, sans monter sur l'escabeau, venait dire au revoir à Jonas qui répondait dans l'ombre : « Salut, vieux frère. » Un soir, Jonas ajouta un merci à son salut. « Pourquoi merci? — Parce que tu m'aimes. — Grande nouvelle! » dit Rateau et il partit.

Un autre soir, Jonas appela Rateau qui accourut. La lampe était allumée pour la première fois. Jonas se penchait avec une expression anxieuse, hors de la soupente. « Passe-moi une toile, dit-il. — Mais qu'est-ce que tu as? Tu as maigri, tu as l'air d'un fantôme. — J'ai à peine mangé depuis plusieurs jours. Ce n'est rien, il faut que je travaille. — Mange d'abord. — Non, je n'ai pas faim. » Rateau apporta une toile. Au moment de disparaître dans la soupente, Jonas lui demanda : « Comment sont-ils? — Qui? — Louise et les enfants. — Ils vont bien. Ils iraient mieux si tu étais avec eux. — Je ne les quitte pas. Dis-leur surtout que je ne les quitte pas. » Et il disparut. Rateau vint dire son inquiétude à Louise. Celle-ci avoua qu'elle se tourmentait elle-même depuis plusieurs jours. « Comment faire? Ah! si je pouvais travailler à sa place! » Elle faisait face à Rateau, malheureuse. « Je ne peux vivre sans lui », dit-elle. Elle avait de nouveau son visage de jeune fille qui surprit Rateau. Il s'aperçut alors qu'elle avait rougi.

La lampe resta allumée toute la nuit et toute la matinée du lendemain. A ceux qui venaient, Rateau ou Louise, Jonas répondait seulement : « Laisse, je travaille. » A midi, il demanda du pétrole. La lampe, qui charbonnait, brilla de nouveau d'un vif éclat jusqu'au soir. Rateau resta pour dîner avec Louise et les enfants. A minuit, il salua Jonas. Devant la soupente toujours éclairée, il attendit un moment, puis partit sans rien dire. Au matin du deuxième jour, quand Louise se leva, la lampe était encore allumée.

Une belle journée commençait, mais Jonas ne s'en apercevait pas. Il avait retourné la toile contre le mur. Epuisé, il attendait, assis, les mains offertes sur ses genoux. Il se disait que maintenant il ne travaillerait plus jamais, il était heureux. Il entendait les grognements de ses enfants, des bruits d'eau, les tintements de la vaisselle. Louise parlait. Les grandes vitres vibraient au passage d'un camion sur le boulevard. Le monde était encore là, jeune, adorable : Jonas écoutait la belle rumeur que font les hommes. De si loin, elle ne contrariait pas cette force joyeuse en lui, son art, ces pensées qu'il ne pouvait pas dire, à jamais silencieuses, mais qui le mettaient au-dessus de toutes choses, dans un air libre et vif. Les enfants couraient à travers les pièces, la fillette riait, Louise aussi maintenant, dont il n'avait pas entendu le rire depuis longtemps. Il les aimait! Comme il les aimait! Il éteignit la lampe et, dans l'obscurité revenue, là, n'était-ce pas son étoile qui brillait toujours? C'était elle, il la reconnaissait, le cœur plein de gratitude, et il la regardait encore lorsqu'il tomba, sans bruit.

« Ce n'est rien, déclarait un peu plus tard le médecin qu'on avait appelé. Il travaille trop. Dans une semaine, il sera debout. — Il guérira, vous en êtes sûr? disait Louise, le visage défait. — Il guérira. » Dans l'autre pièce, Rateau regardait la toile, entièrement blanche, au centre de laquelle Jonas avait seulement écrit, en très petits caractères, un mot qu'on pouvait déchiffrer, mais dont on ne savait s'il fallait y lire *solitaire* ou *solidaire*.

LA PIERRE QUI POUSSE

La voiture vira lourdement sur la piste de latérite, maintenant boueuse. Les phares découpèrent soudain dans la nuit, d'un côté de la route, puis de l'autre, deux baraques de bois couvertes de tôle. Près de la deuxième, sur la droite, on distinguait dans le léger brouillard une tour bâtie de poutres grossières. Du sommet de la tour partait un câble métallique, invisible à son point d'attache, mais qui scintillait à mesure qu'il descendait dans la lumière des phares pour disparaître derrière le talus qui coupait la route. La voiture ralentit et s'arrêta à quelques mètres des baraques.

L'homme qui en sortit, à la droite du chauffeur, peina pour s'extirper de la portière. Une fois debout, il vacilla un peu sur son large corps de colosse. Dans la zone d'ombre, près de la voiture, affaissé par la fatigue, planté lourdement sur la terre, il semblait écouter le ralenti du moteur. Puis il marcha dans la direction du talus et entra dans le cône de lumière des phares. Il s'arrêta au sommet de la pente, son dos énorme dessiné sur la nuit. Au bout d'un instant, il se retourna. La face noire du chauffeur luisait au-dessus du tableau de bord et souriait. L'homme fit un signe; le chauffeur coupa le contact. Aussitôt, un grand silence frais tomba sur la piste et sur la forêt. On entendit alors le bruit des eaux.

L'homme regardait le fleuve, en contrebas, signalé seulement par un large mouvement d'obscurité, piqué d'écailles brillantes. Une nuit plus dense et figée, loin, de l'autre côté, devait être la rive. En regardant bien, cependant, on apercevait sur cette rive immobile une flamme jaunâtre, comme un quinquet dans le lointain. Le colosse se retourna vers la voiture et hocha la tête. Le chauffeur éteignit ses phares, les alluma, puis les fit clignoter régulièrement. Sur le talus, l'homme apparaissait, disparaissait, plus grand et plus massif à chaque résurrection. Soudain, de l'autre côté du fleuve, au bout d'un bras invisible, une lanterne s'éleva plusieurs fois dans l'air. Sur un dernier signe du guetteur, le chauffeur éteignit définitivement ses phares. La voiture et l'homme disparurent dans la nuit. Les phares éteints, le fleuve était presque visible ou, du moins, quelques-uns de ses longs muscles liquides qui brillaient par intervalles. De chaque côté de la route, les masses sombres de la forêt se dessinaient sur le ciel et semblaient toutes proches. La petite pluie qui avait détrempé la piste, une heure auparavant, flottait encore dans l'air tiède,

alourdissait le silence et l'immobilité de cette grande
clairière au milieu de la forêt vierge. Dans le ciel
noir tremblaient des étoiles embuées.

Mais de l'autre rive montèrent des bruits de
chaînes, et des clapotis étouffés. Au-dessus de la
baraque, à droite de l'homme qui attendait toujours, le câble se tendit. Un grincement sourd commença de le parcourir, en même temps que s'élevait
du fleuve un bruit, à la fois vaste et faible, d'eaux
labourées. Le grincement s'égalisa, le bruit d'eaux
s'élargit encore, puis se précisa, en même temps que
la lanterne grossissait. On distinguait nettement, à
présent, le halo jaunâtre qui l'entourait. Le halo
se dilata peu à peu et de nouveau se rétrécit, tandis
que la lanterne brillait à travers la brume et commençait d'éclairer, au-dessus et autour d'elle, une
sorte de toit carré en palmes sèches, soutenu aux
quatre coins par de gros bambous. Ce grossier
appentis, autour duquel s'agitaient des ombres
confuses, avançait avec lenteur vers la rive. Lorsqu'il fut à peu près au milieu du fleuve, on aperçut distinctement, découpés dans la lumière jaune,
trois petits hommes au torse nu, presque noirs,
coiffés de chapeaux coniques. Ils se tenaient immobiles sur leurs jambes légèrement écartées, le corps
un peu penché pour compenser la puissante dérive
du fleuve soufflant de toutes ses eaux invisibles sur
le flanc d'un grand radeau grossier qui, le dernier,
sortit de la nuit et des eaux. Quand le bac se fut
encore rapproché, l'homme distingua derrière l'appentis, du côté de l'aval, deux grands nègres coif-

fés, eux aussi, de larges chapeaux de paille et vêtus
seulement d'un pantalon de toile bise. Côte à côte,
ils pesaient de tous leurs muscles sur des perches
qui s'enfonçaient lentement dans le fleuve, vers
l'arrière du radeau, pendant que les nègres, du
même mouvement ralenti, s'inclinaient au-dessus
des eaux jusqu'à la limite de l'équilibre. A l'avant,
les trois mulâtres, immobiles, silencieux, regardaient
venir la rive sans lever les yeux vers celui qui les
attendait.

Le bac cogna soudain contre l'extrémité d'un
embarcadère qui avançait dans l'eau et que la
lanterne, qui oscillait sous le choc, venait seulement
de révéler. Les grands nègres s'immobilisèrent, les
mains au-dessus de leur tête, agrippées à l'extrémité
des perches à peine enfoncées, mais les muscles
tendus et parcourus d'un frémissement continu qui
semblait venir de l'eau elle-même et de sa pesée.
Les autres passeurs lancèrent des chaînes autour
des poteaux de l'embarcadère, sautèrent sur les
planches, et rabattirent une sorte de pont-levis
grossier qui recouvrit d'un plan incliné l'avant du
radeau.

L'homme revint vers la voiture et s'y installa
pendant que le chauffeur mettait son moteur en
marche. La voiture aborda lentement le talus,
pointa son capot vers le ciel, puis le rabattit vers
le fleuve et entama la pente. Les freins serrés, elle
roulait, glissait un peu sur la boue, s'arrêtait,
repartait. Elle s'engagea sur l'embarcadère dans un
bruit de planches rebondissantes, atteignit l'extré-

mité où les mulâtres, toujours silencieux, s'étaient
rangés de chaque côté, et plongea doucement vers
le radeau. Celui-ci piqua du nez dans l'eau dès
que les roues avant l'atteignirent et remonta
presque aussitôt pour recevoir le poids entier de
la voiture. Puis le chauffeur laissa courir sa machine jusqu'à l'arrière, devant le toit carré où
pendait la lanterne. Aussitôt, les mulâtres replièrent
le plan incliné sur l'embarcadère et sautèrent d'un
seul mouvement sur le bac, le décollant en même
temps de la rive boueuse. Le fleuve s'arc-bouta
sous le radeau et le souleva sur la surface des eaux
où il dériva lentement au bout de la longue
tringle qui courait maintenant dans le ciel, le
long du câble. Les grands noirs détendirent alors
leur effort et ramenèrent les perches. L'homme et
le chauffeur sortirent de la voiture et vinrent s'im-
mobiliser sur le bord du radeau, face à l'amont.
Personne n'avait parlé pendant la manœuvre et,
maintenant encore, chacun se tenait à sa place,
immobile et silencieux, excepté un des grands
nègres qui roulait une cigarette dans du papier
grossier.

L'homme regardait la trouée par où le fleuve
surgissait de la grande forêt brésilienne et descendait vers eux. Large à cet endroit de plusieurs centaines de mètres, il pressait des eaux troubles et
soyeuses sur le flanc du bac puis, libéré aux deux
extrémités, le débordait et s'étalait à nouveau en
un seul flot puissant qui coulait doucement, à
travers la forêt obscure, vers la mer et la nuit.

Une odeur fade, venue de l'eau ou du ciel spongieux, flottait. On entendait maintenant le clapotis
des eaux lourdes sous le bac et, venus des deux
rives, l'appel espacé des crapauds-buffles ou
d'étranges cris d'oiseaux. Le colosse se rapprocha
du chauffeur. Celui-ci, petit et maigre, appuyé
contre un des piliers de bambou, avait enfoncé ses
poings dans les poches d'une combinaison autrefois bleue, maintenant couverte de la poussière
rouge qu'ils avaient remâchée pendant toute la
journée. Un sourire épanoui sur son visage tout
plissé malgré sa jeunesse, il regardait sans les voir les
étoiles exténuées qui nageaient encore dans le ciel
humide.

Mais les cris d'oiseaux se firent plus nets, des
jacassements inconnus s'y mêlèrent et, presque aussitôt, le câble se mit à grincer. Les grands noirs
enfoncèrent leurs perches et tâtonnèrent, avec des
gestes d'aveugles, à la recherche du fond. L'homme
se retourna vers la rive qu'ils venaient de quitter.
Elle était à son tour recouverte par la nuit et les
eaux, immense et farouche comme le continent
d'arbres qui s'étendait au-delà sur des milliers de
kilomètres. Entre l'océan tout proche et cette mer
végétale, la poignée d'hommes qui dérivait à cette
heure sur un fleuve sauvage semblait maintenant
perdue. Quand le radeau heurta le nouvel embarcadère ce fut comme si, toutes amarres rompues, ils
abordaient une île dans les ténèbres, après des jours
de navigation effrayée.

A terre, on entendit enfin la voix des hommes.

Le chauffeur venait de les payer et, d'une voix
étrangement gaie dans la nuit lourde, ils saluaient
en portugais la voiture qui se remettait en marche.

« Ils ont dit soixante, les kilomètres d'Iguape.
Trois heures tu roules et c'est fini. Socrate est
content », annonça le chauffeur.

L'homme rit, d'un bon rire, massif et chaleureux,
qui lui ressemblait.

« Moi aussi, Socrate, je suis content. La piste
est dure.

— Trop lourd, monsieur d'Arrast, tu es trop
lourd », et le chauffeur riait aussi sans pouvoir
s'arrêter.

La voiture avait pris un peu de vitesse. Elle
roulait entre de hauts murs d'arbres et de végétation inextricable, au milieu d'une odeur molle
et sucrée. Des vols entrecroisés de mouches lumi-
neuses traversaient sans cesse l'obscurité de la forêt
et, de loin en loin, des oiseaux aux yeux rouges
venaient battre pendant une seconde le pare-brise.
Parfois, un feulement étrange leur parvenait des
profondeurs de la nuit et le chauffeur regardait son
voisin en roulant comiquement les yeux.

La route tournait et retournait, franchissait de
petites rivières sur des ponts de planches bringue-
balantes. Au bout d'une heure, la brume commença
de s'épaissir. Une petite pluie fine, qui dissolvait
la lumière des phares, se mit à tomber. D'Arrast,
malgré les secousses, dormait à moitié. Il ne roulait
plus dans la forêt humide, mais à nouveau sur les
routes de la Serra qu'ils avaient prises le matin,

au sortir de São Paulo. Sans arrêt, de ces pistes de terre s'élevait la poussière rouge dont ils avaient encore le goût dans la bouche et qui, de chaque côté, aussi loin que portait la vue, recouvrait la végétation rare de la steppe. Le soleil lourd, les montagnes pâles et ravinées, les zébus faméliques rencontrés sur les routes avec, pour seule escorte, un vol fatigué d'urubus dépenaillés, la longue, longue navigation à travers un désert rouge... Il sursauta. La voiture s'était arrêtée. Ils étaient maintenant au Japon : des maisons à la décoration fragile de chaque côté de la route et, dans les maisons, des kimonos furtifs. Le chauffeur parlait à un Japonais, vêtu d'une combinaison sale, coiffé d'un chapeau de paille brésilien. Puis la voiture démarra.

« Il a dit quarante kilomètres seulement.

— Où étions-nous? A Tokio?

— Non, Registro. Chez nous tous les Japonais viennent là.

— Pourquoi?

— On sait pas. Ils sont jaunes, tu sais, monsieur d'Arrast. »

Mais la forêt s'éclaircissait un peu, la route devenait plus facile, quoique glissante. La voiture patinait sur du sable. Par la portière, entrait un souffle humide, tiède, un peu aigre.

« Tu sens, dit le chauffeur avec gourmandise, c'est la bonne mer. Bientôt Iguape.

— Si nous avons assez d'essence », dit d'Arrast.

Et il se rendormit paisiblement.

Au petit matin, d'Arrast, assis dans son lit, regardait avec étonnement la salle où il venait de se réveiller. Les grands murs, jusqu'à mi-hauteur, étaient fraîchement badigeonnés de chaux brune. Plus haut, ils avaient été peints en blanc à une époque lointaine et des lambeaux de croûtes jaunâtres les recouvraient jusqu'au plafond. Deux rangées de six lits se faisaient face. D'Arrast ne voyait qu'un lit défait à l'extrémité de sa rangée, et ce lit était vide. Mais il entendit du bruit à sa gauche et se retourna vers la porte où Socrate, une bouteille d'eau minérale dans chaque main, se tenait en riant. « Heureux souvenir! » disait-il. D'Arrast se secoua. Oui, l'hôpital où le maire les avait logés la veille s'appelait « Heureux souvenir ». « Sûr souvenir, continuait Socrate. Ils m'ont dit d'abord construire l'hôpital, plus tard construire l'eau. En attendant, heureux souvenir, tiens l'eau piquante pour te laver. » Il disparut, riant et chantant, nullement épuisé, en apparence, par les éternuements cataclysmiques qui l'avaient secoué toute la nuit et avaient empêché d'Arrast de fermer l'œil.

Maintenant, d'Arrast était tout à fait réveillé. A travers les fenêtres grillagées, en face de lui, il apercevait une petite cour de terre rouge, détrempée par la pluie qu'on voyait couler sans bruit sur un bouquet de grands aloès. Une femme passait, portant à bout de bras un foulard jaune déployé au-dessus de sa tête. D'Arrast se recoucha, puis se

redressa aussitôt et sortit du lit qui plia et gémit
sous son poids. Socrate entrait au même moment :
« A toi, monsieur d'Arrast. Le maire attend
dehors. » Mais devant l'air de d'Arrast : « Reste
tranquille, lui jamais pressé. »

Rasé à l'eau minérale, d'Arrast sortit sous le
porche du pavillon. Le maire qui avait la taille
et, sous ses lunettes cerclées d'or, la mine d'une
belette aimable, semblait absorbé dans une contemplation morne de la pluie. Mais un ravissant sourire le transfigura dès qu'il aperçut d'Arrast. Il
raidit sa petite taille, se précipita et tenta d'entou-
rer de ses bras le torse de « M. l'ingénieur ». Au
même moment, une voiture freina devant eux, de
l'autre côté du petit mur de la cour, dérapa dans
la glaise mouillée, et s'arrêta de guingois. « Le
juge! » dit le maire. Le juge, comme le maire, était
habillé de bleu marine. Mais il était beaucoup
plus jeune ou, du moins, le paraissait à cause de
sa taille élégante et son frais visage d'adolescent
étonné. Il traversait maintenant la cour, dans leur
direction, en évitant les flaques d'eau avec beaucoup de grâce. A quelques pas de d'Arrast, il tendait déjà les bras et lui souhaitait la bienvenue. Il
était fier d'accueillir M. l'ingénieur, c'était un
honneur que ce dernier faisait à leur pauvre ville,
il se réjouissait du service inestimable que M. l'ingénieur allait rendre à Iguape par la construction
de cette petite digue qui éviterait l'inondation
périodique des bas quartiers. Commander aux eaux,
dompter les fleuves, ah! le grand métier, et sûrement

les pauvres gens d'Iguape retiendraient le nom de
M. l'ingénieur et dans beaucoup d'années encore
le prononceraient dans leurs prières. D'Arrast,
vaincu par tant de charme et d'éloquence, remercia
et n'osa plus se demander ce qu'un juge pouvait
avoir à faire avec une digue. Au reste, il fallait,
selon le maire, se rendre au club où les notables
désiraient recevoir dignement M. l'Ingénieur avant
d'aller visiter les bas quartiers. Qui étaient les
notables?

« Eh bien, dit le maire, moi-même, en tant que
maire, M. Carvalho, ici présent, le capitaine du
port, et quelques autres moins importants. D'ailleurs, vous n'aurez pas à vous en occuper, ils ne
parlent pas français. »

D'Arrast appela Socrate et lui dit qu'il le retrouverait à la fin de la matinée.

« Bien oui, dit Socrate. J'irai au Jardin de la
Fontaine.

— Au Jardin?

— Oui, tout le monde connaît. Sois pas peur,
monsieur d'Arrast. »

L'hôpital, d'Arrast s'en aperçut en sortant, était
construit en bordure de la forêt, dont les frondai-
sons massives surplombaient presque les toits. Sur
toute la surface des arbres tombait maintenant un
voile d'eau fine que la forêt épaisse absorbait sans
bruit, comme une énorme éponge. La ville, une
centaine de maisons, à peu près, couvertes de tuiles
aux couleurs éteintes, s'étendait entre la forêt et
le fleuve, dont le souffle lointain parvenait jusqu'à

l'hôpital. La voiture s'engagea d'abord dans des
rues détrempées et déboucha presque aussitôt sur
une place rectangulaire, assez vaste, qui gardait
dans son argile rouge, entre de nombreuses flaques,
des traces de pneus, de roues ferrées et de sabots.
Tout autour, les maisons basses, couvertes de crépi
multicolore, fermaient la place derrière laquelle
on apercevait les deux tours rondes d'une église
bleue et blanche, de style colonial. Sur ce décor
nu flottait, venant de l'estuaire, une odeur de sel.
Au milieu de la place erraient quelques silhouettes
mouillées. Le long des maisons, une foule bigarrée
de gauchos, de Japonais, d'Indiens métis et de
notables élégants, dont les complets sombres paraissaient ici exotiques, circulaient à petits pas, avec
des gestes lents. Ils se garaient sans hâte, pour faire
place à la voiture, puis s'arrêtaient et la suivaient
du regard. Lorsque la voiture stoppa devant une
des maisons de la place, un cercle de gauchos
humides se forma silencieusement autour d'elle.

Au club, une sorte de petit bar au premier étage,
meublé d'un comptoir de bambous et de guéridons
en tôle, les notables étaient nombreux. On but de
l'alcool de canne en l'honneur de d'Arrast, après
que le maire, verre en main, lui eut souhaité la
bienvenue et tout le bonheur du monde. Mais pendant que d'Arrast buvait, près de la fenêtre, un
grand escogriffe, en culotte de cheval et leggins,
vint lui tenir, en chancelant un peu, un discours
rapide et obscur où l'ingénieur reconnut seulement
le mot « passeport ». Il hésita, puis sortit le docu-

ment dont l'autre s'empara avec voracité. Après
avoir feuilleté le passeport, l'escogriffe afficha une
mauvaise humeur évidente. Il reprit son discours,
secouant le carnet sous le nez de l'ingénieur qui,
sans s'émouvoir, contemplait le furieux. A ce moment, le juge, souriant, vint demander de quoi il
était question. L'ivrogne examina un moment la
frêle créature qui se permettait de l'interrompre
puis, chancelant de façon plus dangereuse, secoua
encore le passeport devant les yeux de son nouvel
interlocuteur. D'Arrast, paisiblement, s'assit près
d'un guéridon et attendit. Le dialogue devint très
vif et, soudain, le juge étrenna une voix fracassante
qu'on ne lui aurait pas soupçonnée. Sans que rien
l'eût fait prévoir, l'escogriffe battit soudain en
retraite avec l'air d'un enfant pris en faute. Sur
une dernière injonction du juge, il se dirigea vers
la porte, de la démarche oblique du cancre puni,
et disparut.

Le juge vint aussitôt expliquer à d'Arrast, d'une
voix redevenue harmonieuse, que ce grossier personnage était le chef de la police, qu'il osait pré-
tendre que le passeport n'était pas en règle et qu'il
serait puni de son incartade. M. Carvalho s'adressa
ensuite aux notables, qui faisaient cercle, et sembla
les interroger. Après une courte discussion, le juge
exprima des excuses solennelles à d'Arrast, lui demanda d'admettre que seule l'ivresse pouvait
expliquer un tel oubli des sentiments de respect
et de reconnaissance que lui devait la ville d'Iguape
tout entière et, pour finir, lui demanda de bien

vouloir décider lui-même de la punition qu'il convenait d'infliger à ce personnage calamiteux. D'Arrast dit qu'il ne voulait pas de punition, que c'était un incident sans importance et qu'il était surtout pressé d'aller au fleuve. Le maire prit alors la parole pour affirmer avec beaucoup d'affectueuse bonhomie qu'une punition, vraiment, était indispensable, que le coupable resterait aux arrêts et qu'ils attendraient tous ensemble que leur éminent visiteur voulût bien décider de son sort. Aucune protestation ne put fléchir cette rigueur souriante et d'Arrast dut promettre qu'il réfléchirait. On décida ensuite de visiter les bas quartiers.

Le fleuve étalait déjà largement ses eaux jaunies sur les rives basses et glissantes. Ils avaient laissé derrière eux les dernières maisons d'Iguape et ils se trouvaient entre le fleuve et un haut talus escarpé où s'accrochaient des cases de torchis et de branchages. Devant eux, à l'extrémité du remblai, la forêt recommençait, sans transition, comme sur l'autre rive. Mais la trouée des eaux s'élargissait rapidement entre les arbres jusqu'à une ligne indistincte, un peu plus grise que jaune, qui était la mer. D'Arrast, sans rien dire, marcha vers le talus au flanc duquel les niveaux différents des crues avaient laissé des traces encore fraîches. Un sentier boueux remontait vers les cases. Devant ces dernières, des noirs se dressaient, silencieux, regardant les nouveaux venus. Quelques couples se tenaient par la main et, tout au bord du remblai, devant les adultes, une rangée de tendres négrillons, au ventre

ballonné et aux cuisses grêles, écarquillaient des
yeux ronds.

Parvenu devant les cases, d'Arrast appela d'un
geste le commandant du port. Celui-ci était un
gros noir rieur vêtu d'un uniforme blanc. D'Arrast
lui demanda en espagnol s'il était possible de visiter
une case. Le commandant en était sûr, il trouvait
même que c'était une bonne idée, et M. l'Ingénieur
allait voir des choses très intéressantes. Il s'adressa
aux noirs, leur parlant longuement, en désignant
d'Arrast et le fleuve. Les autres écoutaient, sans
mot dire. Quand le commandant eût fini, personne
ne bougea. Il parla de nouveau, d'une voix impa-
tiente. Puis, il interpella un des hommes qui secoua
la tête. Le commandant dit alors quelques mots
brefs sur un ton impératif. L'homme se détacha
du groupe, fit face à d'Arrast et, d'un geste, lui
montra le chemin. Mais son regard était hostile.
C'était un homme assez âgé, à la tête couverte
d'une courte laine grisonnante, le visage mince et
flétri, le corps pourtant jeune encore, avec de dures
épaules sèches et des muscles visibles sous le pantalon de toile et la chemise déchirée. Ils avancèrent,
suivis du commandant et de la foule des noirs, et
grimpèrent sur un nouveau talus, plus déclive, où
les cases de terre, de fer-blanc et de roseaux
s'accrochaient si difficilement au sol qu'il avait
fallu consolider leur base avec de grosses pierres.
Ils croisèrent une femme qui descendait le sentier,
glissant parfois sur ses pieds nus, portant haut sur
la tête un bidon de fer plein d'eau. Puis, ils arri-

vèrent à une sorte de petite place délimitée par
trois cases. L'homme marcha vers l'une d'elles et
poussa une porte de bambous dont les gonds
étaient faits de lianes. Il s'effaça, sans rien dire,
fixant l'ingénieur du même regard impassible. Dans
la case, d'Arrast ne vit d'abord rien qu'un feu
mourant, à même le sol, au centre exact de la
pièce. Puis, il distingua dans un coin, au fond, un
lit de cuivre au sommier nu et défoncé, une table
dans l'autre coin, couverte d'une vaisselle de terre
et, entre les deux, une sorte de tréteau où trônait
un chromo représentant saint Georges. Pour le
reste, rien qu'un tas de loques, à droite de l'entrée
et, au plafond, quelques pagnes multicolores qui
séchaient au-dessus du feu. D'Arrast, immobile,
respirait l'odeur de fumée et de misère qui montait
du sol et le prenait à la gorge. Derrière lui, le
commandant frappa dans ses mains. L'ingénieur
se retourna et, sur le seuil, à contre-jour, il vit
seulement arriver la gracieuse silhouette d'une jeune
fille noire qui lui tendait quelque chose : il se
saisit d'un verre et but l'épais alcool de canne
qu'il contenait. La jeune fille tendit son plateau
pour recevoir le verre vide et sortit dans un mouvement si souple et si vivant que d'Arrast eut
soudain envie de la retenir.

Mais, sorti derrière elle, il ne la reconnut pas
dans la foule des noirs et des notables qui s'était
amassée autour de la case. Il remercia le vieil
homme, qui s'inclina sans un mot. Puis il partit.
Le commandant, derrière lui, reprenait ses expli-

cations, demandait quand la Société française de
Rio pourrait commencer les travaux et si la digue
pourrait être construite avant les grandes pluies.
D'Arrast ne savait pas, il n'y pensait pas en vérité.
Il descendait vers le fleuve frais, sous la pluie im-
palpable. Il écoutait toujours ce grand bruit spa-
cieux qu'il n'avait cessé d'entendre depuis son
arrivée, et dont on ne pouvait dire s'il était fait
du froissement des eaux ou des arbres. Parvenu
sur la rive, il regardait au loin la ligne indécise
de la mer, les milliers de kilomètres d'eaux solitaires
et l'Afrique, et, au-delà, l'Europe d'où il venait.

« Commandant, dit-il, de quoi vivent ces gens
que nous venons de voir?

— Ils travaillent quand on a besoin d'eux, dit
le commandant. Nous sommes pauvres.

— Ceux-là sont les plus pauvres?

— Ils sont les plus pauvres. »

Le juge qui, à ce moment-là, arrivait en glissant
légèrement sur ses fins souliers dit qu'ils aimaient
déjà M. l'Ingénieur qui allait leur donner du travail.

« Et vous savez, dit-il, ils dansent et ils chantent
tous les jours. »

Puis, sans transition, il demanda à d'Arrast s'il
avait pensé à la punition.

« Quelle punition?

— Eh bien, notre chef de police.

— Il faut le laisser. » Le juge dit que ce n'était
pas possible et qu'il fallait punir. D'Arrast marchait déjà vers Iguape.

Dans le petit Jardin de la Fontaine, mystérieux et doux sous la pluie fine, des grappes de fleurs étranges dévalaient le long des lianes entre les bananiers et les pandanus. Des amoncellements de pierres humides marquaient le croisement des sentiers où circulait, à cette heure, une foule bariolée. Des métis, des mulâtres, quelques gauchos y bavardaient à voix faible ou s'enfonçaient, du même pas lent, dans les allées de bambous jusqu'à l'endroit où les bosquets et les taillis devenaient plus denses, puis impénétrables. Là, sans transition, commençait la forêt.

D'Arrast cherchait Socrate au milieu de la foule quand il le reçut dans son dos.

« C'est la fête, dit Socrate en riant, et il s'appuyait sur les hautes épaules de d'Arrast pour sauter sur place.

— Quelle fête?

— Eh! s'étonna Socrate qui faisait face maintenant à d'Arrast, tu connais pas? La fête du bon Jésus. Chaque l'année, tous viennent à la grotte avec le marteau. »

Socrate montrait non pas une grotte, mais un groupe qui semblait attendre dans un coin du jardin.

« Tu vois! Un jour, la bonne statue de Jésus, elle est arrivée de la mer, en remontant le fleuve. Des pêcheurs l'a trouvée. Que belle! Que belle! Alors, ils l'a lavée ici dans la grotte. Et maintenant une pierre a poussé dans la grotte. Chaque année,

c'est la fête. Avec le marteau, tu casses, tu casses
des morceaux pour le bonheur béni. Et puis quoi,
elle pousse toujours, toujours tu casses. C'est le
miracle. »

Ils étaient arrivés à la grotte dont on apercevait
l'entrée basse par-dessus les hommes qui attendaient.
A l'intérieur, dans l'ombre piquée par des flammes
tremblantes de bougies, une forme accroupie cognait
en ce moment avec un marteau. L'homme, un
gaucho maigre aux longues moustaches, se releva
et sortit, tenant dans sa paume offerte à tous un
petit morceau de schiste humide sur lequel,
au bout de quelques secondes, et avant de
s'éloigner, il referma la main avec précaution.
Un autre homme alors entra dans la grotte en se
baissant.

D'Arrast se retourna. Autour de lui, les pèlerins
attendaient, sans le regarder, impassibles sous l'eau
qui descendait des arbres en voiles fins. Lui aussi
attendait, devant cette grotte, sous la même brume
d'eau, et il ne savait quoi. Il ne cessait d'attendre,
en vérité, depuis un mois qu'il était arrivé dans ce
pays. Il attendait, dans la chaleur rouge des jours
humides, sous les étoiles menues de la nuit, malgré
les tâches qui étaient les siennes, les digues à bâtir,
les routes à ouvrir, comme si le travail qu'il était
venu faire ici n'était qu'un prétexte, l'occasion
d'une surprise, ou d'une rencontre qu'il n'imaginait même pas, mais qui l'aurait attendu, patiem-
ment, au bout du monde. Il se secoua, s'éloigna
sans que personne, dans le petit groupe, fît atten-

tion à lui, et se dirigea vers la sortie. Il fallait retourner au fleuve et travailler.

Mais Socrate l'attendait à la porte, perdu dans une conversation volubile avec un homme petit et gros, râblé, à la peau jaune plutôt que noire. Le crâne complètement rasé de ce dernier agrandissait encore un front de belle courbure. Son large visage lisse s'ornait au contraire d'une barbe très noire, taillée en carré.

« Celui-là, champion! dit Socrate en guise de présentation. Demain, il fait la procession. »

L'homme, vêtu d'un costume marin en grosse serge, un tricot à raies bleues et blanches sous la vareuse marinière, examinait d'Arrast, attentivement, de ses yeux noirs et tranquilles. Il souriait en même temps de toutes ses dents très blanches entre les lèvres pleines et luisantes.

« Il parle d'espagnol, dit Socrate et, se tournant vers l'inconnu :

« Raconte M. d'Arrast. » Puis, il partit en dansant vers un autre groupe. L'homme cessa de sourire et regarda d'Arrast avec une franche curiosité.

« Ça t'intéresse, Capitaine?

— Je ne suis pas capitaine, dit d'Arrast.

— Ça ne fait rien. Mais tu es seigneur. Socrate me l'a dit.

— Moi, non. Mais mon grand-père l'était. Son père aussi et tous ceux d'avant son père. Maintenant, il n'y a plus de seigneurs dans nos pays.

— Ah! dit le noir en riant, je comprends, tout le monde est seigneur.

— Non, ce n'est pas cela. Il n'y a ni seigneurs ni peuple. »

L'autre réfléchissait, puis il se décida :

« Personne ne travaille, personne ne souffre?

— Oui, des millions d'hommes.

— Alors, c'est le peuple.

— Comme cela oui, il y a un peuple. Mais ses maîtres sont des policiers ou des marchands. »

Le visage bienveillant du mulâtre se referma. Puis, il grogna : « Humph! Acheter et vendre, hein! Quelle saleté! Et avec la police, les chiens commandent. »

Sans transition, il éclata de rire.

« Toi, tu ne vends pas?

— Presque pas. Je fais des ponts, des routes.

— Bon, ça! Moi, je suis coq sur un bateau. Si tu veux, je te ferai notre plat de haricots noirs.

— Je veux bien. »

Le coq se rapprocha de d'Arrast et lui prit le bras.

« Ecoute, j'aime ce que tu dis. Je vais te dire aussi. Tu aimeras peut-être. »

Il l'entraîna, près de l'entrée, sur un banc de bois humide, au pied d'un bouquet de bambous.

« J'étais en mer, au large d'Iguape, sur un petit pétrolier qui fait le cabotage pour approvisionner les ports de la côte. Le feu a pris à bord. Pas par ma faute, eh! je sais mon métier! Non, le malheur! Nous avons pu mettre les canots à l'eau. Dans la nuit, la mer s'est levée, elle a roulé le canot, j'ai coulé. Quand je suis remonté, j'ai heurté le canot de la tête. J'ai dérivé. La nuit était noire, les eaux sont grandes et puis je nage mal, j'avais peur. Tout d'un coup, j'ai vu une lumière au loin, j'ai reconnu le dôme de l'église du bon Jésus à Iguape. Alors, j'ai dit au bon Jésus que je porterais à la procession une pierre de cinquante kilos sur la tête s'il me sauvait. Tu ne me crois pas, mais les eaux se sont calmées et mon cœur aussi. J'ai nagé doucement, j'étais heureux, et je suis arrivé à la côte. Demain, je tiendrai ma promesse. »

Il regarda d'Arrast d'un air soudain soupçonneux.

« Tu ne ris pas, hein?

— Je ne ris pas. Il faut faire ce que l'on a promis. »

L'autre lui frappa sur l'épaule.

« Maintenant, viens chez mon frère, près du fleuve. Je te cuirai des haricots.

— Non, dit d'Arrast, j'ai à faire. Ce soir, si tu veux.

— Bon. Mais cette nuit, on danse et on prie, dans la grande case. C'est la fête pour saint Georges. » D'Arrast lui demanda s'il dansait aussi. Le visage du coq se durcit tout d'un coup; ses yeux, pour la première fois, fuyaient.

« Non, non, je ne danserai pas. Demain, il faut porter la pierre. Elle est lourde. J'irai ce soir, pour fêter le saint. Et puis je partirai tôt.

— Ça dure longtemps?

— Toute la nuit, un peu le matin. »

Il regarda d'Arrast, d'un air vaguement honteux.

« Viens à la danse. Et tu m'emmèneras après. Sinon, je resterai, je danserai, je ne pourrai peut-être pas m'empêcher.

— Tu aimes danser? »

Les yeux du coq brillèrent d'une sorte de gourmandise.

« Oh! oui, j'aime. Et puis il y a les cigares, les saints, les femmes. On oublie tout, on n'obéit plus.

— Il y a des femmes? Toutes les femmes de la ville?

— De la ville, non, mais des cases. »

Le coq retrouva son sourire.

« Viens. Au capitaine, j'obéis. Et tu m'aideras à tenir demain la promesse. »

D'Arrast se sentit vaguement agacé. Que lui faisait cette absurde promesse? Mais il regarda le beau visage ouvert qui lui souriait avec confiance et dont la peau noire luisait de santé et de vie.

« Je viendrai, dit-il. Maintenant, je vais t'accompagner un peu. »

Sans savoir pourquoi, il revoyait en même temps la jeune fille noire lui présenter l'offrande de bienvenue.

Ils sortirent du jardin, longèrent quelques rues boueuses et parvinrent sur la place défoncée que la faible hauteur des maisons qui l'entouraient faisait paraître encore plus vaste. Sur le crépi des murs, l'humidité ruisselait maintenant, bien que la pluie n'eût pas augmenté. A travers les espaces spongieux du ciel, la rumeur du fleuve et des arbres parvenait, assourdie, jusqu'à eux. Ils marchaient d'un même pas, lourd chez d'Arrast, musclé chez le coq. De temps en temps, celui-ci levait la tête et souriait à son compagnon. Ils prirent la direction de l'église qu'on apercevait au-dessus des maisons, atteignirent l'extrémité de la place, longèrent encore des rues boueuses où flottaient maintenant des odeurs agressives de cuisine. De temps en temps, une femme, tenant une assiette ou un instrument de cuisine, montrait dans l'une des portes un visage curieux, et disparaissait aussitôt. Ils passèrent devant l'église, s'enfoncèrent dans un vieux quartier, entre les mêmes maisons basses, et débouchèrent soudain sur le bruit du fleuve invisible, derrière le quartier des cases que d'Arrast reconnut.

« Bon. Je te laisse. A ce soir, dit-il.

— Oui, devant l'église. »

Mais le coq retenait en même temps la main de d'Arrast. Il hésitait. Puis il se décida :

« Et toi, n'as-tu jamais appelé, fait une promesse?

— Si, une fois, je crois.

— Dans un naufrage?

— Si tu veux. » Et D'Arrast dégagea sa main brusquement. Mais au moment de tourner les talons, il rencontra le regard du coq. Il hésita, puis sourit.

« Je puis te le dire, bien que ce soit sans importance. Quelqu'un allait mourir par ma faute. Il me semble que j'ai appelé.

— Tu as promis?

— Non. J'aurais voulu promettre.

— Il y a longtemps?

— Peu avant de venir ici. »

Le coq prit sa barbe à deux mains. Ses yeux brillaient.

« Tu es un capitaine, dit-il. Ma maison est la tienne. Et puis, tu vas m'aider à tenir ma promesse, c'est comme si tu la faisais toi-même. Ça t'aidera aussi. »

D'Arrast sourit : « Je ne crois pas.

— Tu es fier, Capitaine.

— J'étais fier, maintenant je suis seul. Mais dis-moi seulement, ton bon Jésus t'a toujours répondu?

— Toujours, non, Capitaine!

— Alors? »

Le coq éclata d'un rire frais et enfantin.

« Eh bien, dit-il, il est libre, non? »

Au club, où d'Arrast déjeunait avec les notables, le maire lui dit qu'il devait signer le livre d'or de la municipalité pour qu'un témoignage subsistât au moins du grand événement que constituait sa venue à Iguape. Le juge de son côté trouva deux ou trois nouvelles formules pour célébrer, outre les vertus et les talents de leur hôte, la simplicité qu'il mettait à représenter parmi eux le grand pays auquel il avait l'honneur d'appartenir. D'Arrast dit seulement qu'il y avait cet honneur, qui certainement en était un, selon sa conviction, et qu'il y avait aussi l'avantage pour sa société d'avoir obtenu l'adjudication de ces longs travaux.

Sur quoi le juge se récria devant tant d'humilité. « A propos, dit-il, avez-vous pensé à ce que nous devons faire du chef de la police? » D'Arrast le regarda en souriant. « J'ai trouvé. » Il considérerait comme une faveur personnelle, et une grâce très exceptionnelle, qu'on voulût bien pardonner en son nom à cet étourdi, afin que son séjour, à lui, d'Arrast, qui se réjouissait tant de connaître la belle ville d'Iguape et ses généreux habitants, pût commencer dans un climat de concorde et d'amitié. Le juge, attentif et souriant, hochait la tête. Il médita un moment la formule, en connaisseur, s'adressa ensuite aux assistants pour leur faire applaudir les magnanimes traditions de la grande nation française et, tourné de nouveau vers d'Arrast, se déclara satisfait. « Puisqu'il en est ainsi, conclut-il, nous dînerons ce soir avec le chef. » Mais d'Arrast dit qu'il était invité par des amis à la cérémonie de danses, dans les cases. « Ah, oui! dit le juge. Je suis content que vous y alliez. Vous verrez, on ne peut s'empêcher d'aimer notre peuple. »

Le soir, d'Arrast, le coq et son frère étaient assis autour du feu éteint, au centre de la case que l'ingénieur avait déjà visitée le matin. Le frère n'avait pas paru surpris de le revoir. Il parlait à peine l'espagnol et se bornait la plupart du temps à hocher la tête. Quant au coq, il s'était intéressé aux cathédrales, puis avait longuement disserté sur la soupe aux haricots noirs. Maintenant, le jour était

presque tombé et si d'Arrast voyait encore le coq et
son frère, il distinguait mal, au fond de la case, les
silhouettes accroupies d'une vieille femme et de
la jeune fille qui, à nouveau, l'avait servi. En
contrebas, on entendait le fleuve monotone.

Le coq se leva et dit : « C'est l'heure. » Ils se
levèrent, mais les femmes ne bougèrent pas. Les
hommes sortirent seuls. D'Arrast hésita, puis rejoignit les autres. La nuit était maintenant tombée, la
pluie avait cessé. Le ciel, d'un noir pâle, semblait
encore liquide. Dans son eau transparente et sombre,
bas sur l'horizon, des étoiles commençaient de s'allumer. Elles s'éteignaient presque aussitôt, tombaient une à une dans le fleuve, comme si le ciel
dégouttait de ses dernières lumières. L'air épais
sentait l'eau et la fumée. On entendait aussi la
rumeur toute proche de l'énorme forêt, pourtant
immobile. Soudain, des tambours et des chants
s'élevèrent dans le lointain, d'abord sourds puis
distincts, qui se rapprochèrent de plus en plus et
qui se turent. On vit peu après apparaître une
théorie de filles noires, vêtues de robes blanches en
soie grossière, à la taille très basse. Moulé dans une
casaque rouge sur laquelle pendait un collier de
dents multicolores, un grand noir les suivait et,
derrière lui, en désordre, une troupe d'hommes
habillés de pyjamas blancs et des musiciens munis
de triangles et de tambours larges et courts. Le
coq dit qu'il fallait les accompagner.

La case où ils parvinrent en suivant la rive à
quelques centaines de mètres des dernières cases,

était grande, vide, relativement confortable avec
ses murs crépis à l'intérieur. Le sol était en terre
battue, le toit de chaume et de roseaux, soutenu
par un mât central, les murs nus. Sur un petit
autel tapissé de palmes, au fond, et couvert de
bougies qui éclairaient à peine la moitié de la
salle, on apercevait un superbe chromo où saint
Georges, avec des airs séducteurs, prenait avantage
d'un dragon moustachu. Sous l'autel, une sorte de
niche, garnie de papiers en rocailles, abritait, entre
une bougie et une écuelle d'eau, une petite statue
de glaise, peinte en rouge, représentant un dieu
cornu. Il brandissait, la mine farouche, un couteau
démesuré, en papier d'argent.

Le coq conduisit d'Arrast dans un coin où ils
restèrent debout, collés contre la paroi, près de la
porte. « Comme ça, murmura le coq, on pourra
partir sans déranger. » La case, en effet, était pleine
d'hommes et de femmes, serrés les uns contre les
autres. Déjà la chaleur montait. Les musiciens
allèrent s'installer de part et d'autre du petit autel.
Les danseurs et les danseuses se séparèrent en deux
cercles concentriques, les hommes à l'intérieur. Au
centre, vint se placer le chef noir à la casaque rouge.
D'Arrast s'adossa à la paroi, en croisant les bras.

Mais le chef, fendant le cercle des danseurs, vint
vers eux et, d'un air grave, dit quelques mots au
coq. « Décroise les bras, Capitaine, dit le coq. Tu
te serres, tu empêches l'esprit du saint de descendre. » D'Arrast laissa docilement tomber les bras.
Le dos toujours collé à la paroi, il ressemblait lui

même, maintenant, avec ses membres longs et lourds,
son grand visage déjà luisant de sueur, à quelque
dieu bestial et rassurant. Le grand noir le regarda
puis, satisfait, regagna sa place. Aussitôt, d'une voix
claironnante, il chanta les premières notes d'un air
que tous reprirent en chœur, accompagnés par les
tambours. Les cercles se mirent alors à tourner en
sens inverse, dans une sorte de danse lourde et
appuyée qui ressemblait plutôt à un piétinement,
légèrement souligné par la double ondulation des
hanches.

La chaleur avait augmenté. Pourtant, les pauses
diminuaient peu à peu, les arrêts s'espaçaient et la
danse se précipitait. Sans que le rythme des autres
se ralentît, sans cesser lui-même de danser, le grand
noir fendit à nouveau les cercles pour aller vers
l'autel. Il revint avec un verre d'eau et une bougie
allumée qu'il ficha en terre, au centre de la case.
Il versa l'eau autour de la bougie en deux cercles
concentriques, puis, à nouveau dressé, leva vers le
toit des yeux fous. Tout son corps tendu, il attendait, immobile. « Saint Georges arrive. Regarde,
regarde », souffla le coq dont les yeux s'exorbitaient.

En effet, quelques danseurs présentaient maintenant des airs de transe, mais de transe figée, les
mains aux reins, le pas raide, l'œil fixe et atone.
D'autres précipitaient leur rythme, se convulsant
sur eux-mêmes, et commençaient à pousser des cris
inarticulés. Les cris montèrent peu à peu et lorsqu'ils se confondirent dans un hurlement collectif,
le chef, les yeux toujours levés, poussa lui-même

une longue clameur à peine phrasée, au sommet du souffle, et où les mêmes mots revenaient. « Tu vois, souffla le coq, il dit qu'il est le champ de bataille du dieu. » D'Arrast fut frappé du changement de sa voix et regarda le coq qui, penché en avant, les poings serrés, les yeux fixes, reproduisait sur place le piétinement rythmé des autres. Il s'aperçut alors que lui-même, depuis un moment, sans déplacer les pieds pourtant, dansait de tout son poids.

Mais les tambours tout d'un coup firent rage et subitement le grand diable rouge se déchaîna. L'œil enflammé, les quatre membres tournoyant autour du corps, il se recevait, genou plié, sur chaque jambe, l'une après l'autre, accélérant son rythme à tel point qu'il semblait qu'il dût se démembrer, à la fin. Mais brusquement, il s'arrêta en plein élan, pour regarder les assistants, d'un air fier et terrible, au milieu du tonnerre des tambours. Aussitôt un danseur surgit d'un coin sombre, s'agenouilla et tendit au possédé un sabre court. Le grand noir prit le sabre sans cesser de regarder autour de lui, puis le fit tournoyer au-dessus de sa tête. Au même instant, d'Arrast aperçut le coq qui dansait au milieu des autres. L'ingénieur ne l'avait pas vu partir.

Dans la lumière rougeoyante, incertaine, une poussière étouffante montait du sol, épaississait encore l'air qui collait à la peau. D'Arrast sentait la fatigue le gagner peu à peu; il respirait de plus en plus mal. Il ne vit même pas comment les danseurs avaient pu se munir des énormes cigares qu'ils fumaient à présent, sans cesser de danser, et dont l'étrange odeur emplissait la case et le grisait un peu. Il vit seulement le coq qui passait près de lui, toujours dansant, et qui tirait lui aussi sur un cigare : « Ne fume pas », dit-il. Le coq grogna, sans cesser de rythmer son pas, fixant le mât central avec l'expression du boxeur sonné, la nuque parcourue par un long et perpétuel frisson. A ses côtés, une noire épaisse, remuant de droite à gauche sa face animale, aboyait sans arrêt. Mais les jeunes négresses, surtout, entraient dans la transe la plus affreuse, les pieds collés au sol et le corps parcouru, des pieds à la tête, de soubresauts de plus en plus violents à mesure qu'ils gagnaient les épaules. Leur tête s'agitait alors d'avant en arrière, littéralement séparée d'un corps décapité. En même temps, tous se mirent à hurler sans discontinuer, d'un long cri collectif et incolore, sans respiration apparente, sans modulations, comme si les corps se nouaient tout entiers, muscles et nerfs, en une seule émission épuisante qui donnait enfin la parole en chacun d'eux à un être jusque-là absolument silencieux. Et sans que le cri cessât, les femmes une à une, se mirent à tomber. Le chef noir s'agenouillait près de chacune, serrait vite et convulsivement leurs tempes de sa grande main aux muscles noirs. Elles se relevaient alors, chancelantes, rentraient dans la danse et reprenaient leurs cris, d'abord faiblement, puis de plus en plus haut et vite, pour retomber encore, et se relever de nouveau, pour recommencer, et longtemps encore, jusqu'à ce que le cri général faiblît, s'altérât, dégénérât en une sorte de rauque aboiement qui les secouait de son hoquet. D'Arrast, épuisé, les muscles noués par sa longue danse immobile, étouffé par son propre mutisme, se sentit vaciller. La chaleur, la poussière, la fumée des cigares, l'odeur humaine rendaient maintenant l'air tout à fait irrespirable. Il chercha le coq du regard : il avait disparu. D'Arrast se laissa glisser alors le long de la paroi et s'accroupit, retenant une nausée.

Quand il ouvrit les yeux, l'air était toujours aussi étouffant, mais le bruit avait cessé. Les tambours seuls rythmaient une basse continue, sur laquelle dans tous les coins de la case, des groupes, couverts d'étoffes blanchâtres, piétinaient. Mais au centre de la pièce, maintenant débarrassé du verre et de la bougie, un groupe de jeunes filles noires, en état semi-hypnotique, dansaient lentement, toujours sur le point de se laisser dépasser par la mesure. Les yeux fermés, droites pourtant, elles se balançaient légèrement d'avant en arrière, sur la pointe de leurs pieds, presque sur place. D'eux d'entre elles, obèses, avaient le visage recouvert d'un rideau de raphia. Elles encadraient une autre jeune fille, costumée celle-là, grande, mince, que d'Arrast reconnut soudain comme la fille de son hôte. Vêtue d'une robe verte, elle portait un chapeau de chasseresse en gaze bleue, relevé sur le devant, garni de plumes mousquetaires, et tenait à la main un arc vert et jaune, muni de sa flèche, au bout de laquelle était embroché un oiseau multicolore. Sur son corps gracile, sa jolie tête oscillait lentement, un

peu renversée, et sur le visage endormi se reflétait
une mélancolie égale et innocente. Aux arrêts de
la musique, elle chancelait, somnolente. Seul, le
rythme renforcé des tambours lui rendait une sorte
de tuteur invisible autour duquel elle enroulait ses
molles arabesques jusqu'à ce que, de nouveau
arrêtée en même temps que la musique, chancelant
au bord de l'équilibre, elle poussât un étrange cri
d'oiseau, perçant et pourtant mélodieux.

D'Arrast, fasciné par cette danse ralentie, contemplait la Diane noire lorsque le coq surgit devant
lui, son visage lisse maintenant décomposé. La
bonté avait disparu de ses yeux qui ne reflétaient
qu'une sorte d'avidité inconnue. Sans bienveillance,
comme s'il parlait à un étranger: « Il est tard,
Capitaine, dit-il. Ils vont danser toute la nuit, mais
ils ne veulent pas que tu restes maintenant. » La
tête lourde, d'Arrast se leva et suivit le coq qui
gagnait la porte en longeant la paroi. Sur le seuil,
le coq s'effaça, tenant la porte de bambous, et
d'Arrast sortit. Il se retourna et regarda le coq qui
n'avait pas bougé. « Viens. Tout à l'heure il faudra
porter la pierre.

— Je reste, dit le coq d'un air fermé.

— Et ta promesse? »

Le coq sans répondre poussa peu à peu la porte
que d'Arrast retenait d'une seule main. Ils restèrent
ainsi une seconde, et d'Arrast céda, haussant les
épaules. Il s'éloigna.

La nuit était pleine d'odeurs fraîches et aromatiques. Au-dessus de la forêt, les rares étoiles du

ciel austral, estompées par une brume invisible, luisaient faiblement. L'air humide était lourd. Pourtant, il semblait d'une délicieuse fraîcheur au sortir de la case. D'Arrast remontait la pente glissante, gagnait les premières cases, trébuchait comme un homme ivre dans les chemins troués. La forêt grondait un peu, toute proche. Le bruit du fleuve grandissait, le continent tout entier émergeait dans la nuit et l'écœurement envahissait d'Arrast. Il lui semblait qu'il aurait voulu vomir ce pays tout entier, la tristesse de ses grands espaces, la lumière glauque des forêts, et le clapotis nocturne de ses grands fleuves déserts. Cette terre était trop grande, le sang et les saisons s'y confondaient, le temps se liquéfiait. La vie ici était à ras de terre et, pour s'y intégrer, il fallait se coucher et dormir, pendant des années, à même le sol boueux ou desséché. Là-bas, en Europe, c'était la honte et la colère. Ici, l'exil ou la solitude, au milieu de ces fous languissants et trépidants, qui dansaient pour mourir. Mais, à travers la nuit humide, pleine d'odeurs végétales, l'étrange cri d'oiseau blessé, poussé par la belle endormie, lui parvint encore.

Quand d'Arrast, la tête barrée d'une épaisse migraine, s'était réveillé après un mauvais sommeil, une chaleur humide écrasait la ville et la forêt immobile. Il attendait à présent sous le porche de l'hôpital, regardant sa montre arrêtée, incertain de l'heure, étonné de ce grand jour et du silence qui montait de la ville. Le ciel, d'un bleu presque franc, pesait au ras des premiers toits éteints. Des urubus jaunâtres dormaient, figés par la chaleur, sur la maison qui faisait face à l'hôpital. L'un d'eux s'ébroua tout d'un coup, ouvrit le bec, prit ostensiblement ses dispositions pour s'envoler, claqua deux fois ses ailes poussiéreuses contre son corps, s'éleva de quelques centimètres au-dessus du toit, et retomba pour s'endormir presque aussitôt.

L'ingénieur descendit vers la ville. La place principale était déserte, comme les rues qu'il venait de parcourir. Au loin, et de chaque côté du fleuve, une brume basse flottait sur la forêt. La chaleur tombait verticalement et d'Arrast chercha un coin d'ombre pour s'abriter. Il vit alors, sous l'auvent d'une des maisons, un petit homme qui lui faisait signe. De plus près, il reconnut Socrate.

« Alors, monsieur d'Arrast, tu aimes la cérémonie? »

D'Arrast dit qu'il faisait trop chaud dans la case et qu'il préférait le ciel et la nuit.

« Oui, dit Socrate, chez toi, c'est la messe seulement. Personne ne danse. »

Il se frottait les mains, sautait sur un pied, tournait sur lui-même, riait à perdre haleine.

« Pas possibles, ils sont pas possibles. »

Puis il regarda d'Arrast avec curiosité :

« Et toi, tu vas à la messe?

— Non.

— Alors où tu vas?

— Nulle part. Je ne sais pas. »

Socrate riait encore.

« Pas possible! Un seigneur sans église, sans rien! »

D'Arrast riait aussi :

« Oui, tu vois, je n'ai pas trouvé ma place. Alors, je suis parti.

— Reste avec nous, monsieur d'Arrast, je t'aime.

— Je voudrais bien, Socrate, mais je ne sais pas danser. » Leurs rires résonnaient dans le silence de la ville déserte.

« Ah! dit Socrate, j'oublie. Le maire veut te voir. Il déjeune au club. » Et sans crier gare, il partit dans la direction de l'hôpital. « Où vas-tu? » cria d'Arrast. Socrate imita un ronflement : « Dormir. Tout à l'heure la procession. » Et courant à moitié, il reprit ses ronflements.

Le maire voulait seulement donner à d'Arrast une place d'honneur pour voir la procession. Il l'expliqua à l'ingénieur en lui faisant partager un plat de viande et de riz propre à miraculer un paralytique. On s'installerait d'abord dans la maison du juge, sur un balcon, devant l'église, pour voir sortir le cortège. On irait ensuite à la mairie, dans la grande rue qui menait à la place de l'église et que les pénitents emprunteraient au retour. Le juge et le chef de police accompagneraient d'Arrast, le maire étant tenu d'assister à la cérémonie. Le chef de police était en effet dans la salle du club, et tournait sans trêve autour de d'Arrast, un infatigable sourire aux lèvres, lui prodiguant des discours incompréhensibles, mais évidemment affec-

tueux. Lorsque d'Arrast descendit, le chef de police
se précipita pour lui ouvrir le chemin, tenant toutes
les portes ouvertes devant lui.

Sous le soleil massif, dans la ville toujours vide,
les deux hommes se dirigeaient vers la maison du
juge. Seuls, leurs pas résonnaient dans le silence.
Mais, soudain, un pétard éclata dans une rue
proche et fit s'envoler sur toutes les maisons, en
gerbes lourdes et embarrassées, les urubus au cou
pelé. Presque aussitôt des dizaines de pétards éclatèrent dans toutes les directions, les portes s'ouvrirent et les gens commencèrent de sortir des maisons pour remplir les rues étroites.

Le juge exprima à d'Arrast la fierté qui était la
sienne de l'accueillir dans son indigne maison et
lui fit gravir un étage d'un bel escalier baroque
peint à la chaux bleue. Sur le palier, au passage de
d'Arrast, des portes s'ouvrirent d'où surgissaient
des têtes brunes d'enfants qui disparaissaient ensuite avec des rires étouffés. La pièce d'honneur,
belle d'architecture, ne contenait que des meubles
de rotin et de grandes cages d'oiseaux au jacasse-
ment étourdissant. Le balcon où ils s'installèrent
donnait sur la petite place devant l'église. La
foule commençait maintenant de la remplir, étrangement silencieuse, immobile sous la chaleur qui
descendait du ciel en flots presque visibles. Seuls,
des enfants couraient autour de la place s'arrêtant
brusquement pour allumer les pétards dont les détonations se succédaient. Vue du balcon, l'église,
avec ses murs crépis, sa dizaine de marches peintes

à la chaux bleue, ses deux tours bleues et or, paraissait plus petite.

Tout d'un coup, des orgues éclatèrent à l'intérieur de l'église. La foule, tournée vers le porche,
se rangea sur les côtés de la place. Les hommes se
découvrirent, les femmes s'agenouillèrent. Les orgues lointaines jouèrent, longuement, des sortes de
marches. Puis un étrange bruit d'élytres vint de la
forêt. Un minuscule avion aux ailes transparentes
et à la frêle carcasse, insolite dans ce monde sans
âge, surgit au-dessus des arbres, descendit un peu
vers la place, et passa, avec un grondement de
grosse crécelle, au-dessus des têtes levées vers lui.
L'avion vira ensuite et s'éloigna vers l'estuaire.

Mais, dans l'ombre de l'église, un obscur remue-
ménage attirait de nouveau l'attention. Les orgues
s'étaient tues, relayées maintenant par des cuivres
et des tambours, invisibles sous le porche. Des
pénitents, recouverts de surplis noirs, sortirent un
à un de l'église, se groupèrent sur le parvis, puis
commencèrent de descendre les marches. Derrière
eux venaient des pénitents blancs portant des ban-
nières rouges et bleues, puis une petite troupe de
garçons costumés en anges, des confréries d'enfants
de Marie, aux petits visages noirs et graves, et enfin,
sur une châsse multicolore, portée par des notables
suants dans leurs complets sombres, l'effigie du bon
Jésus lui-même, roseau en main, la tête couverte
d'épines, saignant et chancelant au-dessus de la
foule qui garnissait les degrés du parvis.

Quand la châsse fut arrivée au bas des marches,

il y eut un temps d'arrêt pendant lequel les pénitents essayèrent de se ranger dans un semblant
d'ordre. C'est alors que d'Arrast vit le coq. Il venait
de déboucher sur le parvis, torse nu, et portait sur
sa tête barbue un énorme bloc rectangulaire qui
reposait sur une plaque de liège à même le crâne.
Il descendit d'un pas ferme les marches de l'église,
la pierre exactement équilibrée dans l'arceau de
ses bras courts et musclés. Dès qu'il fut parvenu
derrière la châsse, la procession s'ébranla. Du porche
surgirent alors les musiciens, vêtus de vestes aux
couleurs vives et s'époumonant dans des cuivres
enrubannés. Aux accents d'un pas redoublé, les pénitents accélérèrent leur allure et gagnèrent l'une
des rues qui donnaient sur la place. Quand la
châsse eut disparu à leur suite, on ne vit plus que le
coq et les derniers musiciens. Derrière eux, la foule
s'ébranla, au milieu des détonations, tandis que
l'avion, dans un grand ferraillement de pistons,
revenait au-dessus des derniers groupes. D'Arrast
regardait seulement le coq qui disparaissait maintenant dans la rue et dont il lui semblait soudain
que les épaules fléchissaient. Mais à cette distance,
il voyait mal.

Par les rues vides, entre les magasins fermés et
les portes closes, le juge, le chef de police et d'Arrast
gagnèrent alors la mairie. A mesure qu'ils s'éloi-
gnaient de la fanfare et des détonations, le silence
reprenait possession de la ville et, déjà, quelques
urubus revenaient prendre sur les toits la place
qu'ils semblaient occuper depuis toujours. La mairie

donnait sur une rue étroite, mais longue, qui menait d'un des quartiers extérieurs à la place de l'église. Elle était vide pour le moment. Du balcon de la mairie, à perte de vue, on n'apercevait qu'une chaussée défoncée, où la pluie récente avait laissé quelques flaques. Le soleil, maintenant un peu descendu, rongeait encore, de l'autre côté de la rue, les façades aveugles des maisons.

Ils attendirent longtemps, si longtemps que d'Arrast, à force de regarder la réverbération du soleil sur le mur d'en face, sentit à nouveau revenir sa fatigue et son vertige. La rue vide, aux maisons désertes, l'attirait et l'écœurait à la fois. A nouveau, il voulait fuir ce pays, il pensait en même temps à cette pierre énorme, il aurait voulu que cette épreuve fût finie. Il allait proposer de descendre pour aller aux nouvelles lorsque les cloches de l'église se mirent à sonner à toute volée. Au même instant, à l'autre extrémité de la rue, sur leur gauche, un tumulte éclata et une foule en ébullition apparut. De loin, on la voyait agglutinée autour de la châsse, pèlerins et pénitents mêlés, et ils avançaient, au milieu des pétards et des hurlements de joie, le long de la rue étroite. En quelques secondes, ils la remplirent jusqu'aux bords, avançant vers la mairie, dans un désordre indescriptible, les âges, les races et les costumes fondus en une masse bariolée, couverte d'yeux et de bouches vociférantes, et d'où sortaient, comme des lances, une armée de cierges dont la flamme s'évaporait dans la lumière ardente du jour. Mais quand ils furent

proches et que la foule, sous le balcon, sembla
monter le long des parois, tant elle était dense,
d'Arrast vit que le coq n'était pas là.

D'un seul mouvement, sans s'excuser, il quitta
le balcon et la pièce, dévala l'escalier et se trouva
dans la rue, sous le tonnerre des cloches et des
pétards. Là, il dut lutter contre la foule joyeuse,
les porteurs de cierges, les pénitents offusqués. Mais
irrésistiblement, remontant de tout son poids la
marée humaine, il s'ouvrit un chemin, d'un mouvement si emporté, qu'il chancela et faillit tomber
lorsqu'il se retrouva libre, derrière la foule, à
l'extrémité de la rue. Collé contre le mur brûlant, il attendit que la respiration lui revînt. Puis
il reprit sa marche. Au même moment, un groupe
d'hommes déboucha dans la rue. Les premiers marchaient à reculons, et d'Arrast vit qu'ils entouraient
le coq.

Celui-ci était visiblement exténué. Il s'arrêtait,
puis, courbé sous l'énorme pierre, il courait un peu,
du pas pressé des débardeurs et des coolies, le petit
trot de la misère, rapide, le pied frappant le sol de
toute sa plante. Autour de lui, des pénitents aux
surplis salis de cire fondue et de poussière l'encou-
rageaient quand il s'arrêtait. A sa gauche, son frère
marchait ou courait en silence. Il sembla à d'Arrast
qu'ils mettaient un temps interminable à parcourir
l'espace qui les séparait de lui. A peu près à sa
hauteur, le coq s'arrêta de nouveau et jeta autour
de lui des regards éteints. Quand il vit d'Arrast,
sans paraître pourtant le reconnaître, il s'immo-

bilisa, tourné vers lui. Une sueur huileuse et sale
couvrait son visage maintenant gris, sa barbe était
pleine de filets de salive, une mousse brune et sèche
cimentait ses lèvres. Il essaya de sourire. Mais, immobile sous sa charge, il tremblait de tout son
corps, sauf à la hauteur des épaules où les muscles
étaient visiblement noués dans une sorte de crampe.
Le frère, qui avait reconnu d'Arrast, lui dit seulement : « Il est déjà tombé. » Et Socrate, surgi il
ne savait d'où, vint lui glisser à l'oreille : « Trop
danser, monsieur d'Arrast, toute la nuit. Il est
fatigué. »

Le coq avança de nouveau, de son trot saccadé,
non comme quelqu'un qui veut progresser mais
comme s'il fuyait la charge qui l'écrasait, comme s'il
espérait l'alléger par le mouvement. D'Arrast se
trouva, sans qu'il sût comment, à sa droite. Il posa
sur le dos du coq une main devenue légère et
marcha près de lui, à petits pas pressés et pesants.
A l'autre extrémité de la rue, la châsse avait disparu, et la foule, qui, sans doute, emplissait maintenant la place, ne semblait plus avancer. Pendant
quelques secondes, le coq, encadré par son frère et
d'Arrast, gagna du terrain. Bientôt, une vingtaine
de mètres seulement le séparèrent du groupe qui
s'était massé devant la mairie pour le voir passer.
A nouveau, pourtant, il s'arrêta. La main de d'Arrast se fit plus lourde. « Allez, coq, dit-il, encore un
peu. » L'autre tremblait, la salive se remettait à
couler de sa bouche tandis que, sur tout son corps,
la sueur jaillissait littéralement. Il prit une respira-

tion qu'il voulait profonde et s'arrêta court. Il
s'ébranla encore, fit trois pas, vacilla. Et soudain la
pierre glissa sur son épaule, qu'elle entailla, puis en
avant jusqu'à terre, tandis que le coq, déséquilibré,
s'écroulait sur le côté. Ceux qui le précédaient en
l'encourageant sautèrent en arrière avec de grands
cris, l'un d'eux se saisit de la plaque de liège pendant que les autres empoignaient la pierre pour en
charger à nouveau le coq.

D'Arrast, penché sur celui-ci, nettoyait de sa main
l'épaule souillée de sang et de poussière, pendant
que le petit homme, la face collée à terre, haletait.
Il n'entendait rien, ne bougeait plus. Sa bouche
s'ouvrait avidement sur chaque respiration, comme
si elle était la dernière. D'Arrast le prit à bras-le-
corps et le souleva aussi facilement que s'il s'agissait d'un enfant. Il le tenait debout, serré contre
lui. Penché de toute sa taille, il lui parlait dans
le visage, comme pour lui insuffler sa force. L'autre,
au bout d'un moment, sanglant et terreux, se détacha de lui, une expression hagarde sur le visage.
Chancelant, il se dirigea de nouveau vers la pierre
que les autres soulevaient un peu. Mais il s'arrêta;
il regardait la pierre d'un regard vide, et secouait la
tête. Puis il laissa tomber ses bras le long de son
corps et se tourna vers d'Arrast. D'énormes larmes
coulaient silencieusement sur son visage ruiné. Il
voulait parler, il parlait, mais sa bouche formait à
peine les syllabes. « J'ai promis », disait-il. Et puis :
« Ah! Capitaine. Ah! Capitaine! » et les larmes
noyèrent sa voix. Son frère surgit dans son dos.

l'étreignit, et le coq, en pleurant, se laissa aller
contre lui, vaincu, la tête renversée.

D'Arrast le regardait, sans trouver ses mots. Il
se tourna soudain vers la foule, au loin, qui criait
à nouveau. Soudain, il arracha la plaque de liège
des mains qui la tenaient et marcha vers la pierre.
Il fit signe aux autres de l'élever et la chargea presque sans effort. Légèrement tassé sous le poids de
la pierre, les épaules ramassées, soufflant un peu,
il regardait à ses pieds, écoutant les sanglots du coq.
Puis il s'ébranla à son tour d'un pas puissant, par-
courut sans faiblir l'espace qui le séparait de la
foule, à l'extrémité de la rue, et fendit avec décision
les premiers rangs qui s'écartèrent devant lui. Il
entra sur la place, dans le vacarme des cloches et
des détonations, mais entre deux haies de specta-
teurs qui le regardaient avec étonnement, soudain
silencieux. Il avançait, du même pas emporté, et
la foule lui ouvrait un chemin jusqu'à l'église.
Malgré le poids qui commençait à lui broyer la
tête et la nuque, il vit l'église et la châsse qui semblait l'attendre sur le parvis. Il marchait vers elle
et avait dépassé le centre de la place quand brutalement, sans savoir pourquoi il obliqua vers la
gauche, et se détourna du chemin de l'église, obli-
geant les pèlerins à lui faire face. Derrière lui,
il entendait des pas précipités. Devant lui, s'ouvraient de toutes parts des bouches. Il ne comprenait pas ce qu'elles lui criaient, bien qu'il lui
semblât reconnaître le mot portugais qu'on lui
lançait sans arrêt. Soudain, Socrate apparut devant

lui, roulant des yeux effarés, parlant sans suite et lui montrant, derrière lui, le chemin de l'église. « A l'église, à l'église », c'était là ce que criaient Socrate et la foule. D'Arrast continua pourtant sur sa lancée. Et Socrate s'écarta, les bras comiquement levés au ciel, pendant que la foule peu à peu se taisait. Quand d'Arrast entra dans la première rue, qu'il avait déjà prise avec le coq, et dont il savait qu'elle menait aux quartiers du fleuve, la place n'était plus qu'une rumeur confuse derrière lui.

La pierre, maintenant, pesait douloureusement sur son crâne et il avait besoin de toute la force de ses grands bras pour l'alléger. Ses épaules se nouaient déjà quand il atteignit les premières rues, dont la pente était glissante. Il s'arrêta, tendit l'oreille. Il était seul. Il assura la pierre sur son support de liège et descendit d'un pas prudent, mais encore ferme, jusqu'au quartier des cases. Quand il y arriva, la respiration commençait de lui manquer, ses bras tremblaient autour de la pierre. Il pressa le pas, parvint enfin sur la petite place où se dressait la case du coq, courut à elle, ouvrit la porte d'un coup de pied et, d'un seul mouvement, jeta la pierre au centre de la pièce, sur le feu qui rougeoyait encore. Et là, redressant toute sa taille, énorme soudain, aspirant à goulées désespérées l'odeur de misère et de cendres qu'il reconnaissait, il écouta monter en lui le flot d'une joie obscure et haletante qu'il ne pouvait pas nommer.

Quand les habitants de la case arrivèrent, ils

trouvèrent d'Arrast debout, adossé au mur du fond,
les yeux fermés. Au centre de la pièce à la place du
foyer, la pierre était à demi enfouie, recouverte de
cendres et de terre. Ils se tenaient sur le seuil sans
avancer et regardaient d'Arrast en silence comme
s'ils l'interrogeaient. Mais il se taisait. Alors, le
frère conduisit près de la pierre le coq qui se laissa
tomber à terre. Il s'assit, lui aussi, faisant un signe
aux autres. La vieille femme le rejoignit, puis la
jeune fille de la nuit, mais personne ne regardait
d'Arrast. Ils étaient accroupis en rond autour de la
pierre, silencieux. Seule, la rumeur du fleuve montait jusqu'à eux à travers l'air lourd. D'Arrast,
debout dans l'ombre, écoutait, sans rien voir, et le
bruit des eaux l'emplissait d'un bonheur tumul-
tueux. Les yeux fermés, il saluait joyeusement sa
propre force, il saluait, une fois de plus, la vie qui
recommençait. Au même instant, une détonation
éclata qui semblait toute proche. Le frère s'écarta
un peu du coq et se tournant à demi vers d'Arrast,
sans le regarder, lui montra la place vide :
« Assieds-toi avec nous. »

TABLE

IMPRIMÉ EN FRANCE PAR BRODARD ET TAUPIN
6, place d'Alleray - Paris.
Usine de La Flèche, le 10-07-1970.
1727-5 - Dépôt légal n° 9480, 3e trimestre 1970.
1er Dépôt : 2e trimestre 1966.
LE LIVRE DE POCHE - 6, avenue Pierre 1er de Serbie - Paris.
30 - 11 - 1679 - 06